마법천자문

손오공의 한자 대탐험

3 비춰라! 빛 광

光

아울북

감수의 글

한자를 늘 접하는 저 같은 사람에게 요즘처럼 한자 교육에 대한 관심이 커지는 것은 반가운 일입니다. 그러나 지루한 암기 위주의 교육 방법이 도리어 한자에 대한 부정적인 인식만 키우는 것은 아닌지 걱정이 앞서기도 합니다.

이러한 현실에서 《마법천자문》의 출간은 매우 환영할 만한 일입니다. 우선 한자를 어린이들이 좋아하는 마법과 결합시킨 기획 아이디어가 돋보입니다.

그리고 그림(이미지)으로부터 비롯된 한자의 특성을 잘 살려서, 한자의 소리와 뜻과 모양을 한꺼번에 익히는 이미지 학습의 원리를 구현한 것도 뛰어납니다.

무엇보다도 어린이들에게 친근한 손오공의 좌충우돌 신나는 모험 이야기 속에서 한자를 재미있고 자연스럽게 익힐 수 있게 한 것이 이 책의 가장 큰 특징입니다. 한자 학습에 대한 긍정적인 경험은 어린이들이 앞으로 누가 시키지 않아도 한자를 스스로 공부할 수 있는 바탕을 마련해 줄 수 있기 때문입니다.

많은 어린이들이 이 책 《마법천자문》을 통해 이러한 좋은 경험을 함께 만들었으면 좋겠습니다.

서울대학교 사범대학 중등교육연수원
중국어과 주임교수 김창환

이 책의 특징

1 저절로 기억되는 한자 이미지 학습서

— 한자의 뜻과 소리와 모양이 만화의 한 장면에서 이미지와 함께 저절로 기억되도록 구성하였습니다.

▶ 한자의 소리와 뜻과 모양을 마법이 펼쳐지는 장면에서 한 번에 익히기

2 암기 스트레스 없이 저절로 이루어지는 학습

— 암기식 한자 학습을 극복하여 읽기만 해도 저절로 공부가 됩니다.

3 한자 공부에 자신감을 주는 적절한 학습량

— 한자능력검정시험에 나오는 한자 중 사용 빈도가 높은 한자를 뽑아 권당 20자씩 책으로 엮어 한자에 대한 자신감을 주고 원리를 이해하도록 구성하였습니다.

4 알찬 한자 공부를 위한 체계적인 학습 페이지

— 각 장에서 새롭게 등장한 한자를 체계적으로 학습할 수 있도록 매장마다 학습 페이지를 별도로 추가하였습니다.

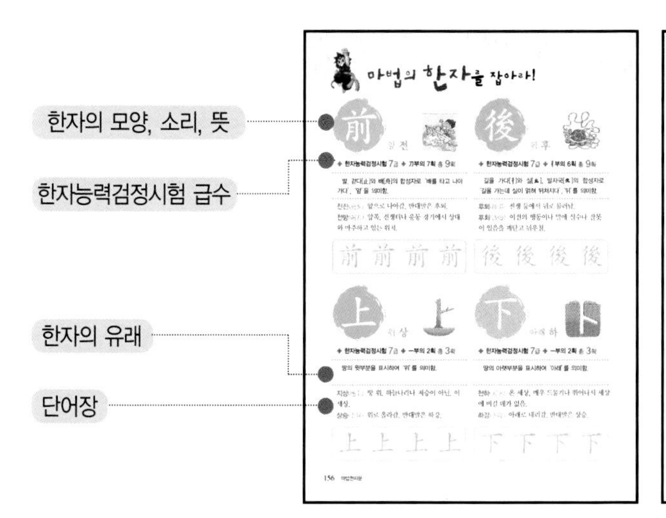

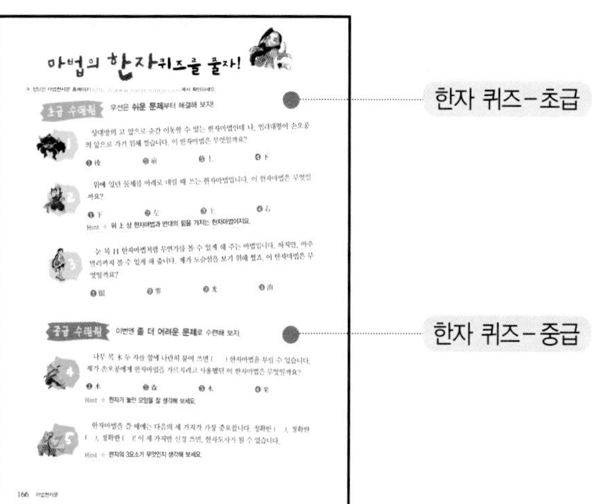

이 책에 나오는 한자

▶ 이 책에는 아래의 20자가 반복적으로 등장합니다.

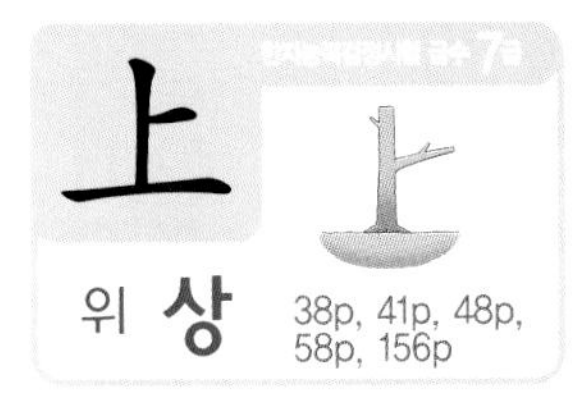

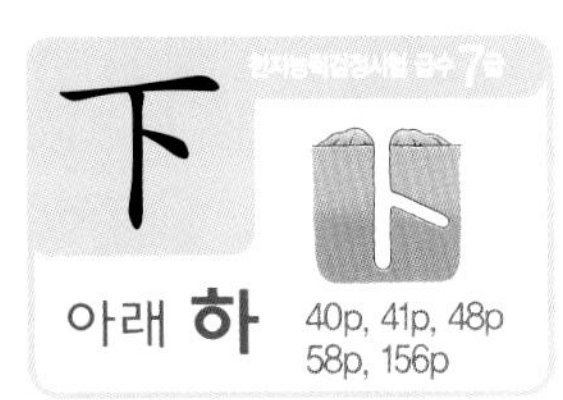

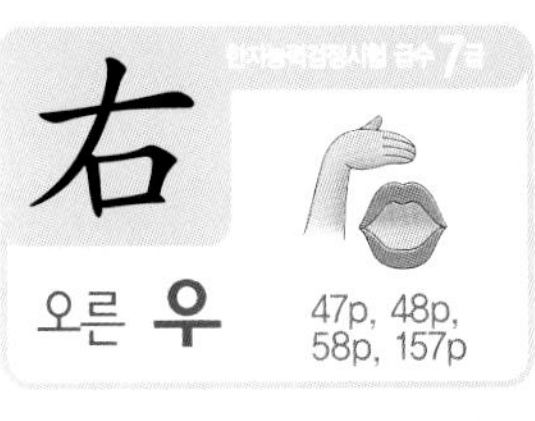

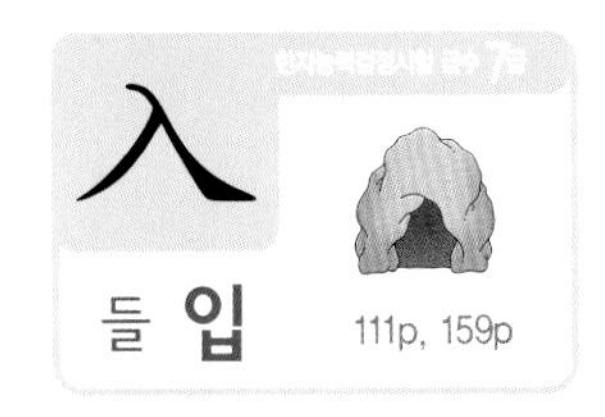

차 례

등장 인물

손오공

화과산 원숭이족의 두목.
하늘나라를 삼천 년 만에 뒤집어 놓은 장본인이다.
수련을 계속해 나날이 한자마법 실력이 늘어가고 있다.

보리도사 쌀도사

손오공과 삼장의 스승. 조금 엉뚱하기는 하지만 한자마법의 고수로, 마법천자문의 비밀을 알고 있다.

옥황상제

하늘나라를 다스리는 왕. 염라대왕과 용왕보다 더 높다.
손오공한테서 여의필을 돌려받으려 한다.

여의필

말을 하는 능력과 몸을 마음대로 구부리는 능력을 지닌 매력 만점의 장난꾸러기. 삼천 년 동안 잠들어 있다가 깨어났다.

마법천자문 조각

원래 108 요괴를 가두어 둔 하나의 비석이었지만 지금은 천 개의 조각으로 나눠져 있다.
나쁜 마음을 가진 이에게 걸어 주면 무시무시한 악의 힘을 발휘하게 된다.

삼장
손오공과 함께 마법천자문의 비밀을 풀어 나가는 지혜로운 소녀.
원숭이들한테 한자마법을 가르칠 정도로 뛰어난 실력을 가지고 있다.
염라대왕
용왕
손오공과 한바탕 큰 대결을 벌이는 지옥과 바다를 다스리는 왕.
대장군 이랑
옥황상제의 명을 받고 손오공을
잡으러 온 하늘나라의 대장군.
기습적인 공격을 즐기며 깜찍, 발랄하다.
돼지왕
원래는 평범한 돼지였는데
마법천자문 조각의 힘으로
돼지왕이 되었다.
혼돈장군
혼세마왕
대마왕의 부하들로 한자마법 실력파.
마법천자문 조각을 모아서 세상을 지배하고자 한다.

제 1 장
결전!
손오공과 염라대왕

지옥
용서할 수 없어!
절대로
용서 못 해!

마법천자문 조각인지
뭔지 하는 돌멩이 때문에
화과산에 쳐들어온
혼세마왕!
시간이 없다는 것을
알면서도
왔다 갔다 헤매게 한
염라대왕!
여의필을 빌려 주지
않으려고
거짓말로 나를 함정에
빠뜨린 용왕!
그들의
방해만
없었다면,
부두목은…
부두목은….

방해만 없었다면
부두목은 죽지
않았을 거란 말이냐?

좋다. 그건 그렇다고
치자. 그래서?
분노에 몸을
맡기고, 내키는
대로 설쳐 대면

부두목이 다시
살아나기라도
한단 말이냐?
으아아아아!

크아아아아!

이 거짓말쟁이
염라대왕!

날 속였어!
…….

어리석은 손오공!
넌 내 상대가 못 돼!
합!
계란으로
바위 치기란
말이다.
힘이여, 불끈불끈!
힘 력 力!
力
이래도 계란으로
바위 치기라고요?
이야압

받아라!
어림없다! 손오공!

쨍그랑
오마나!

얕보지
말라고요!

!

내 주먹은
그리 호락호락
하지 않다!

받아라!
우왓!
네녀석이 아무리
난리법석을 떨어도 네 부하는
다시 살아나지 않는다!

크으으윽!
방심했다.
으아아아아아아악!
엉?
헉!

내 칼을
산산조각 내다니
역시 소문대로
여의필은 대단하군.

여의필을
어서 빼앗아라!

흥, 내가
뺏길 것 같아?

휙
두 번은
안 통하지.

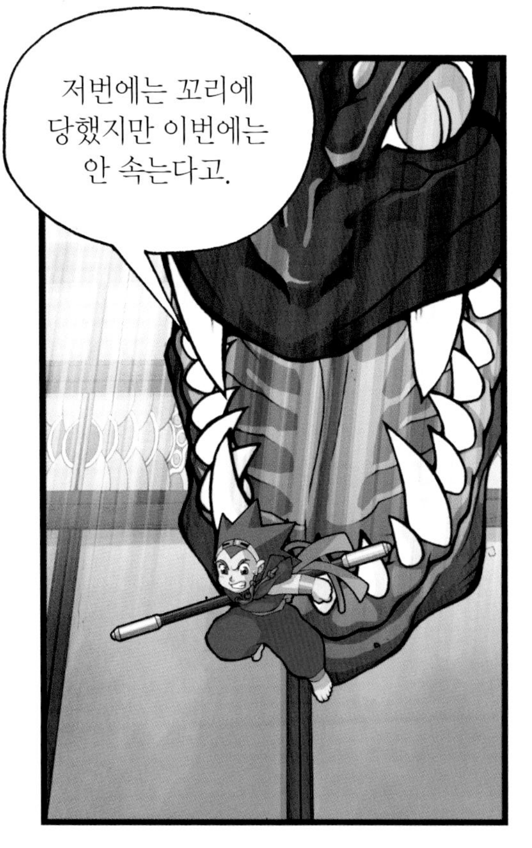
저번에는 꼬리에
당했지만 이번에는
안 속는다고.

텁
우왓!

크하하하하.
이것 참 싱겁게
끝났군.
?
우웩.
끈적끈적 미끌미끌.
더는 못 있겠다.
나가야지.
힘들걸.
네녀석
힘으로는….

복습한자… 長 길 장 丨 𠃊 F F 티 镸 镸 長

...
작아져라!
작을 소 小!
小
아무래도 적당히 달래기는 힘들겠어.
?
!

어, 이런. 작아지면 내가 싸우기 더 쉬워지지 않나요?

과연 그럴까, 손오공?
잘못하면 다치니 삼장, 넌 물러나 있어라.

각오 단단히 해라. 이제부터는 절대 봐주지 않을 테니.
염라대왕 표정이 완전히 변했어.
그런다고 내가 무서워할 줄….
뚜두둑!
이래도 네놈 입이 살아 있을까?

!
켁!
퍽
어, 엄청나게
아프다!
퍽
소, 손오공! 피해!

슥
이야압!
턱
!!

퍽
…….

…….

털썩

손오공!
도망쳐!

이 정도
가지고…
도망치지는
않아!

암,
그래야지.
아직 시작도
안 했다.

일단 거리를 벌리고 나서
틈을 노려야겠어!
엥?

요 녀석,
어딜 가느냐?

옳거니! 거리를
유지하면서 어떻게
해 보겠다 이거냐?

그렇게는
안 되지.
됐다! 이 정도
거리면.
前
코 앞으로 이동!
앞 전 前!
!

어, 어떻게
순식간에?!

앞 전 前 마법
한 번이면 상대방
앞으로 가는 건
식은죽먹기.
크흐흐흐흐.

前 앞 전

우와!
끝내 준다.
뭐 말이냐?
휙
아무것도 없는데.
후다닥
…….
…….
이 녀석, 감히
염라대왕을 놀려?

後 뒤 후 ノ ㇀ 彳 彳 彳 彳 後 後 後

제 2 장
손오공의
반격!
툭
요 녀석!
퍽
휘청
이제 그만 해,
손오공.
으으윽….

넌 부두목을 살리려고 최선을 다했잖아.
염라대왕님 말대로 노력한다고 부두목을 되살릴 수 있는 건 아니잖아.
그 정도면 충분해.
넌 내 마음을 몰라. 어서 비켜.
아니, 알아. 알 수 있어.
네가 어떻게, 어떻게 그걸 알아?
돌아가면 말해 줄게. 이제 제발 돌아가자.

이대로는 못 가.
절대 그럴 수 없어!

멍청한 똥고집!

뭐라고?
이 멍청한 똥고집, 옹고집, 고집불통, 고집쟁이야!
아야야야.
언제까지 고집 부릴 거야?

언제까지
네 기분만
생각할 거야?
보리도사님,
쌀도사님 그리고
화과산에서 너만
기다리고 있을
부하들 생각도
좀 하라고.
아야야야야야!
말했지, 지상의 시간은
여기보다 몇 배는
빠르게 흐른다고.
네 부하들은
아무것도 모른 채
너만 목 빠지게
기다리고 있단 말야.
…….

그렇게는 안 되지.
그냥은 못 간다.

네?
왜, 왜죠?

한번 시작한 싸움은 끝을 봐야 해.
안 그러냐, 손오공?

그런 말도 안 되는 억지가….
좋아요!

까딱
자, 덤벼라.
손오공.

생사부를….
어서
덤비라니까!

이야야압!
너무 느려.

아, 아니 저놈이
생사부를?!
이얍!
성공이다!

끼이이
넘어간다.

넘어가면
안 되지!
턱

이놈이 감히
생사부를!
용서 못….

後
등 뒤로 이동!
뒤 후 後!
앗!
어느새!

다, 다리를
걸면…
이렇게!

기우뚱
넘어간다고!

…무…

무거워!

오우~! 이불이
끝내 주네요.
너
이 녀석!

어째 너무
가벼운 것 같죠,
염라대왕님?
重
펑
켁!
펑
더욱 무겁게!
무거울 중 重!
진짜 무겁겠다.
켁켁,
아이고!
어서 치워!
켁!
더… 이상은
못 참겠다!
복습한자… 重 무거울 중

무리예요, 무리~
어떻게 빠져
나오려고요?
헤헤헤헤
?
들어올리면 된다.
우왓!
갑자기 위로?
위로, 위로!
위 상 上!
上

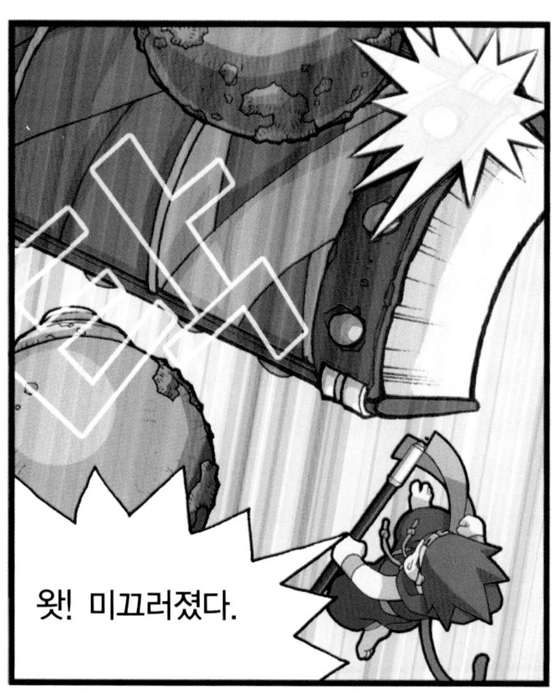

왓! 미끄러졌다.

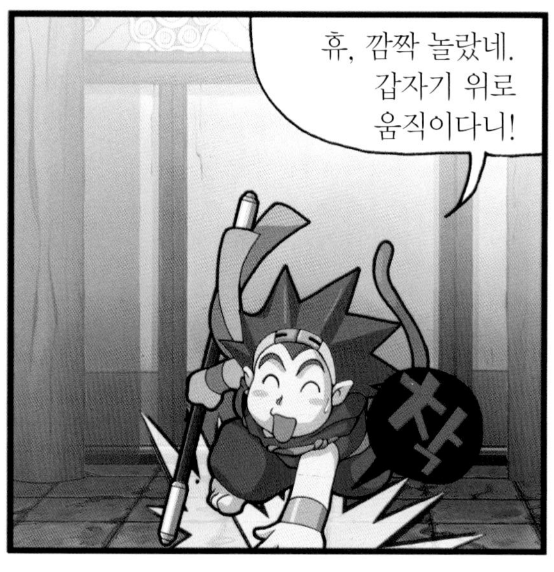

휴, 깜짝 놀랐네.
갑자기 위로
움직이다니!
착

씩씩

각오해라,
손오공.

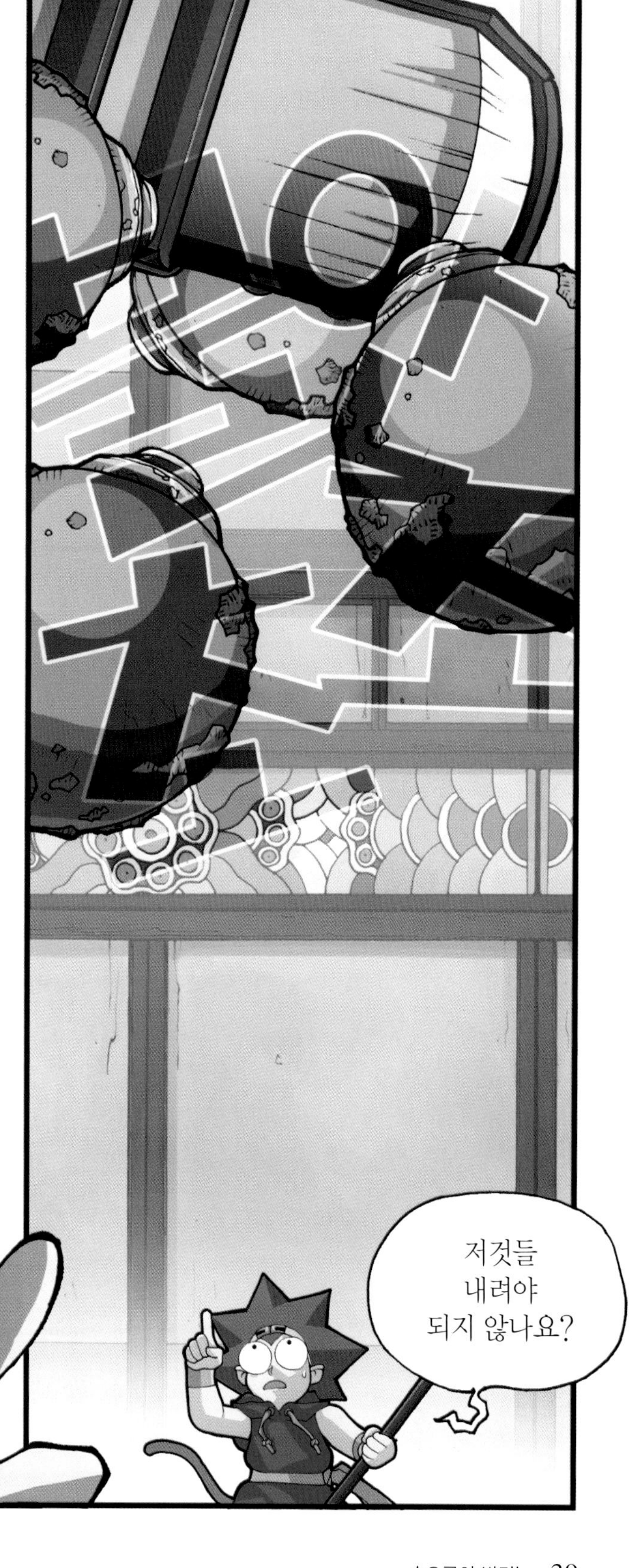

머리 위에 저런 게
떠 있으면 왠지….
지금 내려 주마!
下
아래로, 아래로!
아래 하 下!
우아아아악!
갑자기
내려오네!

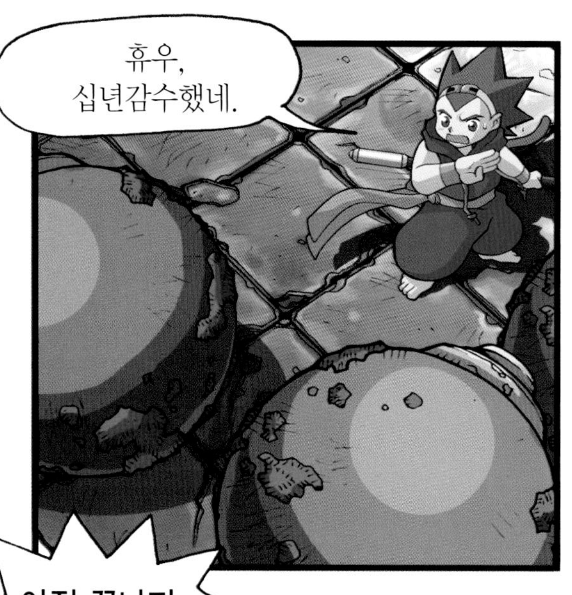
휴우,
십년감수했네.

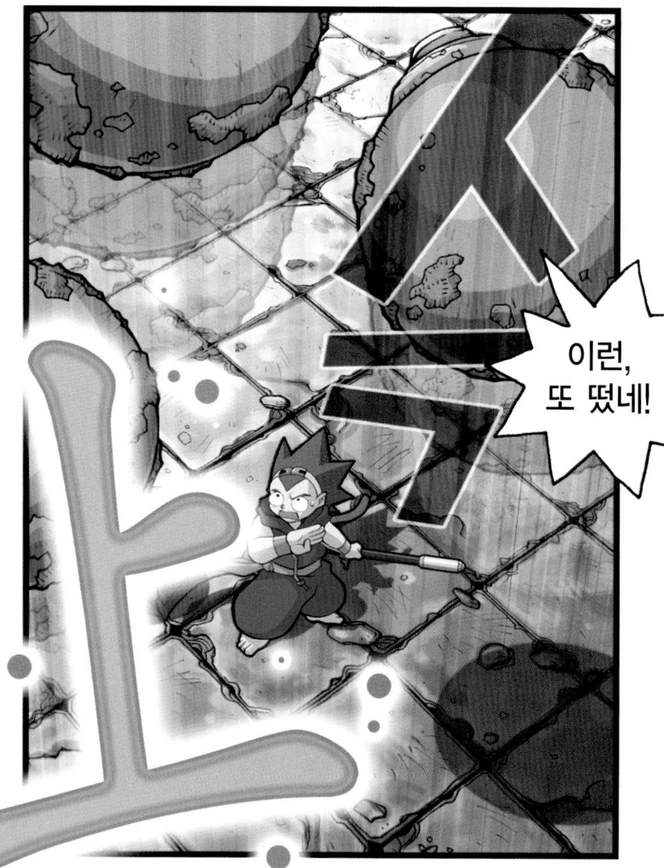
이런,
또 떴네!
上

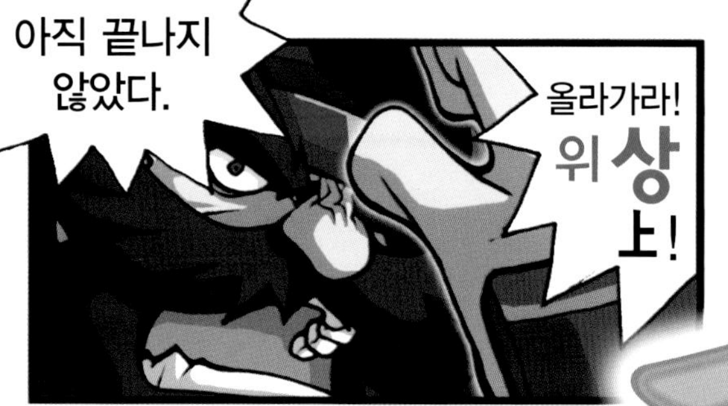
아직 끝나지
않았다.
올라가라!
위 상
上!

내려가라!
아래 하 下!

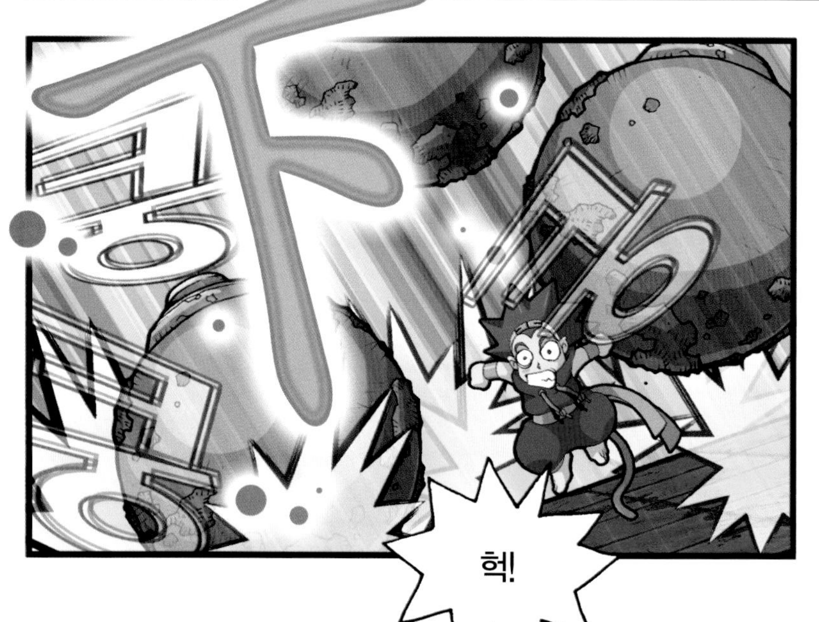
下
헉!

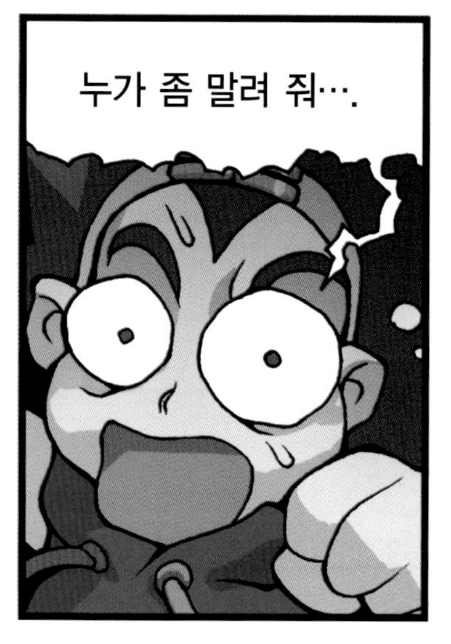
누가 좀 말려 줘….

제 3 장 염라대왕에게 이기다?

신성한 생사부를 짓밟다니

이 원숭이 녀석이 뵈는 게 없구나!

큰일 났어. 완전히 이성을 잃었어.
눈이 뒤집혔네. 이걸 어쩐다?

다시는 그런 짓
못 하도록
혼쭐을 내 주마.

숏아라!
뿔 각 角!
角
우왓! 저 마법은
혼돈장군이 썼던….

우와, 저걸로
맞으면 무지
아프겠다.
前
앞으로!
앞 전 前!
각오해라,
손오공!
헉!

머리 위에다
저런 걸
띄워 놓다니.
하지만
불안해.

아래로, 아래로!
아래 하 下!
下
방향만
미리 알면
피하는
것은 장난!
지금 왼쪽으로
피했느냐,
손오공?

左 왼 좌 一 ナ 左 左 左

오른쪽으로!
오른 우 右!
右
모든 방향으로 날아오니까
쇄애애애애애애우웅
헉
헉
헉
헉
정신이 하나도 없네.
네 말대로 방향만 안다면야 피하기 쉽지.

상하좌우 上下左右
전후좌우 前後左右
上下左右
이건 어떠냐?
前後左右
정신이 없지?
……….
우와와와앗!
걸음아, 나 살려라!

헉!
빠악

잠시 후

손오공, 괜찮아?

아니.

대충 정리가 됐군.
손오공, 이제 정말 돌아가자. 다 끝났잖아.
싸움은 아직 안 끝났어!

생사부를 넘어뜨릴 생각을 하다니!
손오공 녀석, 어처구니없군.

(어린이들은) 함부로 따라 하지 마세요.
크게 다칠 수 있습니다.

손오공의
숨겨 둔 필살기.
척
똥침 찌르기, 헤헤.
절대로…
용서…
못 한다! 이놈!

복습한자··· 電 번개 전

와아, 굉장하다.

…….

으아아아!
으아아아아아아!
아프겠다.
…….
둘 다 새까맣게 탔네.
…….
쿵
휴, 드디어 싸움이 끝났구나!
쿵

손오공, 손오공.
정신 차려.
돌아가거라.
손오공을
데리고
돌아가거라,
삼장.
…….
염라대왕님은
괜찮으세요?

내가 누구냐?
천하의 염라대왕
아니냐.
이 정도는
아무것도 아니니
걱정 마라.

그리고 손오공이
깨어나면
전해 줘라.

태어나고 죽는 것은
하늘이 이미 정해 놓았다.
그것을 바꿀 수 있는
방법이란 존재하지 않는다.
자신이나 다른 사람을
원망해도 소용없다.
알겠느냐, 삼장?

그래도 혼세마왕이란 놈을
용서할 수 없다면,
더욱더
강해지라고.
강해지면 더 이상
나쁜 짓을 못 하게 막을 수
있을 테니 말이다.
예!
꼭 전할게요.
보리도사, 쌀도사가
무척 기다리겠구나.
빨리 서둘러라.

아! 그리고
한 가지만 더

손오공에게
전해 줘라.

상, 하, 전, 후,
좌, 우.
上
後
右
前
左
下
이 여섯 가지
방향마법은
매우 유용하니
잘 배워 놓아라.

후후후, 그러고 보니
삼천 년 만인가?
조용한 하늘나라가
발칵 뒤집혀진 게.
후후후후후
손오공, 이 엉뚱한 녀석!

아앗! 손오공
깨어났어?
앗
…안해.
미안해….
부두목!

제 4 장

부두목을 마음에 담고

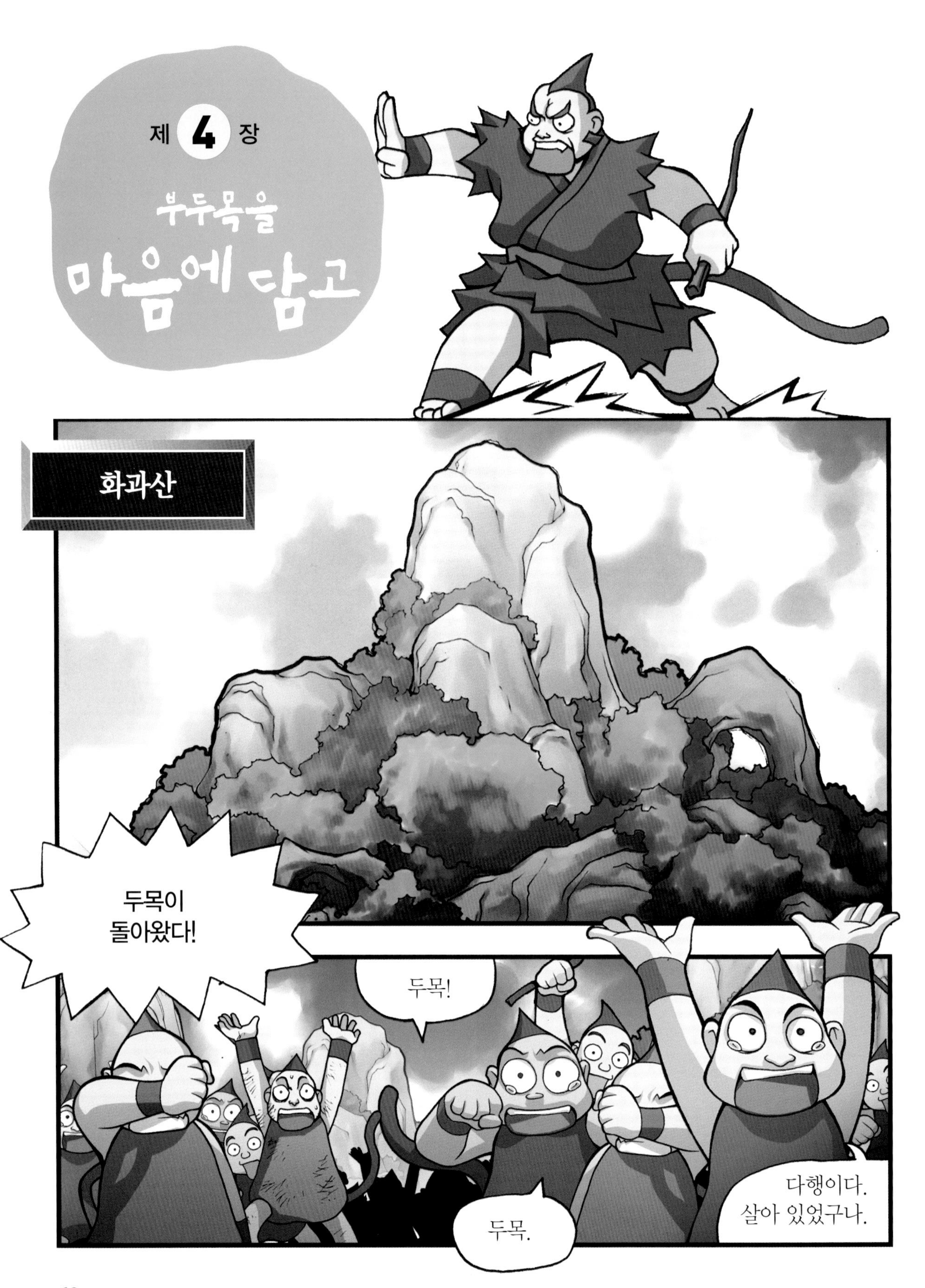

화과산
두목이 돌아왔다!
두목!
다행이다. 살아 있었구나.
두목.

보름이 지나도록
소식이 없어서…
얼마나 걱정을
했는지.
우리는 혹시 무슨 일이
생긴 건 아닌가…

미안해. 헤헤.
걱정 많이 했지?
그런데
부두목은….

부두목은…
부두목은…
…
…
울먹

크흐흐흐흐흐흐흐흐흐흑흑.

크흑
으아앙
부두목은
역시….
크흑
흑흑
으흑
크흑
으아앙
크흑
으아앙

톡
톡
톡
톡
톡
톡

쏴아아아아아

손오공….
울먹울먹울먹울먹

쏴아아아아아아
부두목 여기 잠들다

삼장, 꽃을
부탁해.

부두목 여기 잠들다

쏴아아

며칠 후

모두들 잘 봐.

界
이 마법은 경계망을 치는 거야.
경계망아, 쳐져라!
경계 계 界!

투명해서 반대편이 보여.
우왓, 글자가 생겼네!
이게 모두 몇 자야?

경계망을 건드리면
소리가 울려.
누가 한번
시험 삼아
건드려 볼래?

어디 한번.
톡

꽉
꽉

에에에에에엥!

찌이이이이——잉
소리가…
엄청나게 크다.
으으 얼얼….
이렇게 해 놓으면
누가 나타나도
금방 알 수 있겠지?

그런데 손오공은
안 보이네.
어디 있는지 아니?

뭐라고?
잘 안 들려.
조금 전 엥~
소리 때문에—
두목이 어디
있냐고.
뭐? 두목을
좋아한다고?
관둬!
내가 직접 찾아볼게.

부두목 여기 잠들다

여기 있었구나!
한참 찾았잖아.

잠깐 들렀어.
잘 있나 해서—

거짓말, 벌써 며칠째
무덤 앞에만
있으면서….

새 꽃이네.
헤헤, 부두목이 여자 애한테 이렇게 많은 꽃을 받다니.
작별 인사를 했어.
이제 슬슬 도술섬으로 가야지.

정말?

보리도사님께
배워야 할 게
아직 많은걸.
동자도
보고 싶고.

뭐야,
갑자기?
보여 줄 게 있어.
잘 봐, 손오공.
보여라!
눈 목 目!
目
이건 멀리까지 볼 수
있게 해 주는 눈 목 目
마법이잖아.

두리번
두리번
응, 맞아. 멀리 볼 수 있게 해 주긴 하지만
그래 봤자, 화과산 정도야.
하지만 여기서 도술섬까지 볼 수 있는 방법이 있어.
더 멀리 보여 줘! 눈 안 眼!
眼
눈은 눈인데…
왠지 기분 나쁘게 생겼다.

끔벅

찌릿
움찔

앗, 동자 오빠 또 게으름 피우고 있네.
헉! 정말로 도술섬까지 보이나 보네.

꼬마도 보인다. 동자 오빠를 졸졸 따라다니고 있어.
꼬마도 보여?

다 나았나 봐. 정말 잘됐다!

도술섬에 왔을 때만 해도
많이 다쳐서 걱정했는데….
헤헤,
다행이다.

부릅
이건 아주 멀리까지
볼 수 있어서 천리안이라고
불리기도 해.
눈 안眼 마법을
사용하면 도술섬에서
화과산을 살피는
것도 간단해.

천리안….
이제 화과산에
무슨 일이 생기면 금방
알 수 있겠지?

그래. 그럼
더 늦기 전에 모두에게
작별 인사를 하고
도술섬으로
떠나자.
…….
응.
화이팅,
부두목!
잘 지내.
부두목 여기 잠들다

제 5 장
더욱
강해질 거야!
도술섬
보리선원
손오공 두목!
후다다닥
와아아!

으아아아앙!
두목, 무사했구나!
보고 싶었어!
건강해져서
다행이다.

여어, 손오공
어서 와라.

껄껄껄, 용케
무사히 돌아왔구나.
으하하하하.
이 녀석, 가면 간다고
말을 해야지.

헤헤헤.
다녀왔습니다.
어쩌다 보니
그렇게 됐어요.

자, 어서
들어가자꾸나!
배고픈데
밥 없나요?
손오공!
화과산
음.
그런 일이
있었구나. 극락,
지옥, 용궁…
정신없었겠구나.
흐음
그게 네가 말한
여의필이냐?

예. 이게
여의필이에요.

다행히 사악한 기운은 느껴지지 않는군.
잠들어 있는 상태니까.
사악한 기운이 뭐예요?
잠들어 있다니요? 누가요?

아니다. 아무 것도 아니야.
으으음. 큰일이군. 이 일을 어쩐다.
피곤할 테니 어서 건너가 푹 자라. 껄껄껄!

예. 도사님들 내일 봬요!

손오공이 자러 갔으니
하는 말인데,
이제 어쩔 거지?
ㅇㅇㅇㅇㅇㅇㅇㅇㅇㅇ.
이 일을
어쩐다?
걱정이군.
하아아아아
손오공 이야기대로라면
지금 하늘나라가 발칵
뒤집혔을 텐데,
여의필도 안
돌려주고 가지고
왔으니…
염라대왕님이 손오공을
마음에 들어 하는 것
같아 다행이지만,
옥황상제님께서
그냥 넘어가실
리가 없어.

뭐, 일단은 상황을
지켜볼 수밖에.
으이그
태평해서
좋군.
다음 날
아침이
밝았다!
손오공,
열심히 해!
오늘은
장작 패는 날!

너도 해야지,
동자야.
예?
하지만 손오공이 없는
동안 혼자 다 했는데….

뭐야? 돌아온 첫날부터 시시해.
게으름 피울 생각은 하지 마세요.

엥?
넌 또 왜 온 거야?

손오공!
삼장이 생각해서 와 줬는데!
왜 왔냐니!
으아아아.

자, 먼저 땔감으로 쓸 나무부터 만들어라.

만들다니요?
나무라면 여기 널렸는데!

이 자식이, 도사님 말씀에 토를 달다니!
짝
아야야.

조용히 시키겠습니다. 계속 하십시오!!
평소랑 너무 다르네….

그건 내가 설명해 줄게.

산과 들에 있는 나무는 모두 다—
자기 목숨을 타고나는 것이라서
함부로 베서는 안 돼. 생명은 언제나 소중히!
그래서 땔감용 나무는 따로 만든다. 음….
아주 훌륭한 설명이야.
귀찮게스리.

복습한자… 木 나무 목 一 十 才 木

……
힐끔

삼장이 보고 있다.
힘내자, 동자!
후훗.
아자
아자

이건 어떠냐, 손오공.
나무 목 木 두 글자를 같이 써서—
林
+2
나무들아, 자라나라!!
수풀 림 林!

林 수풀 림 一 十 才 木 木 村 材 林

우와, 끝내 준다!
한 번에 두 글자가
생겼네!

나무 목 木자 두 개가
나란히 붙어 있는 글자인
수풀 림 林자를
쓴 게지.
그렇구나. 그럼
나무 목 木자 세 개를
붙여 쓰면요?
木+木=林

글쎄다….
한번 해 보지
그러느냐?
좋아. 나무 목 木자
세 개를 한꺼번에!
+3
森
나무들아,
많아져라!
빽빽할 삼 森!

森 빽빽할 삼 一 十 才 木 木 本 本 森 森 森 森 森

윽! 또 지다니….
좋았어! 이번엔 네 개다!
얍!
자라나라!
이얍!
어라? 왜 안 되지?
헉헉
헉
당연히 안 되지.

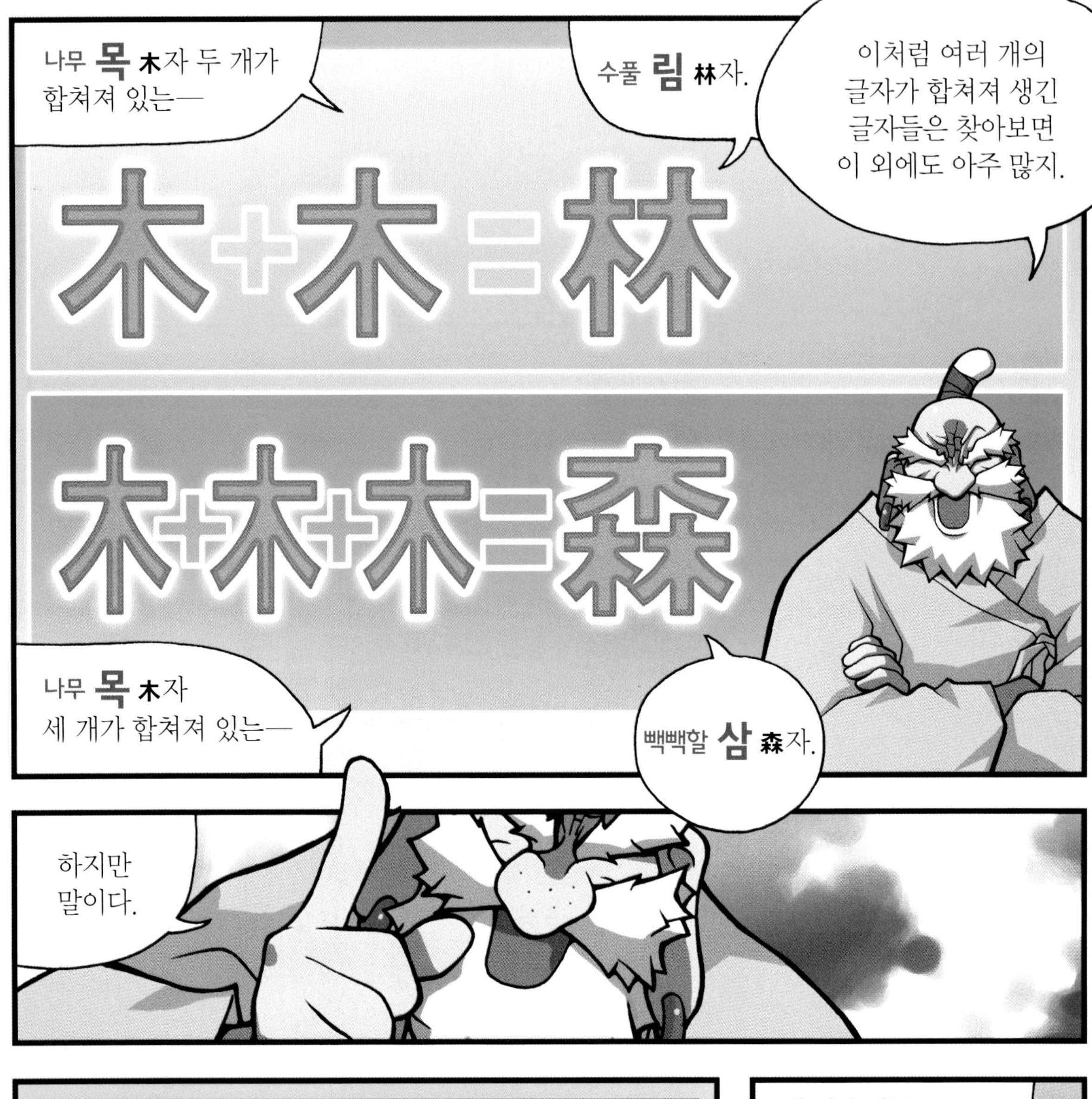
나무 목 木자 두 개가 합쳐져 있는—
수풀 림 林자.
이처럼 여러 개의 글자가 합쳐져 생긴 글자들은 찾아보면 이 외에도 아주 많지.
木+木=林
木+木+木=森
나무 목 木자 세 개가 합쳐져 있는—
빽빽할 삼 森자.
하지만 말이다.

애당초 이런 글자들은 없단다!

내 마음대로 지어내면 안 되는 거였구나.
헤헤.

당연하지!
왁!

한자마법을
쓸 때는 언제나!

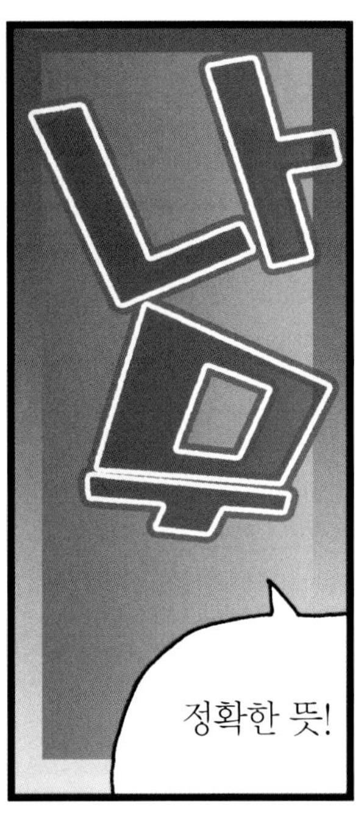
나무
정확한 뜻!

정확한 소리!
목

木
그리고
정확한 글자!

이 세 가지를 잊으면
안 된다. 1권에서
동자가 말했었지?
그럼 난 간다.
가득 채워 놔라.

어라? 말만 하고
가 버리면
어떡해요!
땔감은?

제 6 장

너무 많이 먹는 건 몸에 해로워!

꺼억.
우와~~ 엄청난 저 똥배!

아무리 먹어도 자꾸만 먹고 싶어요.
뱃속에 거지가 들어 있는 거 같아.

그런데 이 사람
누구야?
모르겠어?
맥주병 오빠잖아.
예, 맞습니다.
풍년기원 친선대회에
나왔던 바로
그 사람입니다.
뭐, 뭐라고?
말도 안 돼!
혹시 말이다…
예, 맞아요!
어떻게
아셨어요?
특히 신 게
먹고 싶지 않느냐?
역시 그랬군.
껄껄껄
축하해.
임신이구나!

남자가 어떻게 임신을 하나?
퍽

농담이다, 농담! 유머를 모르는군. 쌀도사는….
농담도 분위기 좀 보고 하시지. 당신 정말 도사 맞아?

그러고 보니 그 때부터인 것 같아요. 혼돈장군인가 하는…
혼돈장군?!
맥주병 형! 지금 혼돈장군 이라고 했어요?

응, 그 혼돈장군하고 돼지왕이 마을에 나타나면서부터
마을 사람 전부가 먹보가 된 것 같아.

손오공,
혼돈장군을
아느냐?

나쁜 놈이에요.
혼세마왕의
부하라고요.

역시 이번 일도
혼세마왕이….

확실하게 확인해
볼 필요가 있겠군.

손오공, 잘 보아라.
네가 아는 혼돈장군과
똑같은 사람인지.
形
그려져라!
형상 형 形!

나타났구나,
혼돈장군!
각오해라!
바끈
형상 형 形 마법으로
그려진 모습일 뿐이야.

엥, 그래?
꼭 진짜 같은걸.

이것으로
확실해졌군.
삼장, 손오공!
마을로 가서 어떻게 된
일인지 알아보아라!
맡겨만 주세요!
당장 갈게요!

삼장, 손오공!
조심해라.
걱정
마시라니까요!

맥주마을 입구

우왓, 몽땅
죽어 버렸잖아.
전혀 돌보지
않았나 봐.

어떡해, 모두
먹는 데만
정신이 팔려서
농사는
나 몰라라 하나 봐.

누구야, 너는? 돼지같이
생겨 가지고!
오우, 그거라면
걱정 마세요.

돼지처럼 생긴 게 아니라,
돼지입니다. 하지만—
왠지 기분
나쁘군요.
이왕이면 돼지왕
이라고 불러 주세요.

이상한 마법으로
맥주병을 뚱보로
만든 게 바로
너냐?
말씀이 지나치시군요.
저는 그냥 먹는
즐거움을
냠냠
냠냠
친절히
가르쳐 줬을
뿐인데요.
냠냠
맛있는 음식을
먹는 게 뭐가
문젠가요?
냠냠
냠냠
맛있게 먹고 나면
배도 부르고, 행복해지고….
말이 나왔으니 말인데, 당신도
맛있는 것 좋아하잖아요.

…
그건 그래. 맛있는 거 좋지.

하지만, 지나친 건 좋지 않다고요! 많이 먹다 보면
뚱뚱해지고 건강에도 좋지 않아요.

그런 식으로 말하는 걸 보니 아직 모르는군.
먹는 즐거움이 얼마나 큰지!

제가 한턱 낼 테니 마음껏 드세요.

나쁜 돼지는 아닌 것 같아.

수상해….

꺼억
꺼억
으으, 잘 먹었다. 이제 충분해!

지금 마음 편하게 먹고 있을 때가 아니잖아.
금강산도 식후경인 거 몰라?
아직 충분치 않아요! 더 드세요.

아냐, 이제 그만 먹을래. 배부르거든.

내 성의를 무시하는 거냐?
먹어! 먹다 보면 얼마든지 더 먹을 수 있으니까!

더 들어갈 데도 없다고.

안 먹겠다면 내가 먹게 해 주지!

豚
꿀꿀 돼지로 변해라! 돼지 돈 豚!
엥?

엥? 손오공, 코가… 돼지 코가 됐어.

으아아아! 먹을 거다!
우걱우걱

豚 돼지 돈 丿 刀 月 月 月一 月丆 月豕 月豕 月豕 月豕 豚

그래, 그래! 얼마든지 먹으라고!
맛있다!
으하하하! 맛있다.
손, 손오공이… 순식간에
냠냠냠냠냠냠
돼지가 됐어!
너무너무 맛있다!

이번엔
아리따운
아가씨 차례.
맛있는 걸
잔뜩 먹게 해 주지.
딸랑
저, 저건
마법천자문 조각!
역시 이번 일에도
마법천자문
조각이!
사과, 배, 바나나,
오렌지! 여자들이
아주 좋아하는 과일!
받아라!
돼지 돈!

그렇게 뚱뚱하니까
동작이 굼뜨잖아요.
아, 아니
어느새?!
어때요?
내 솜씨.

돌려줘!
내 마법…
그렇게는
못 해요.
?!

됐다!
마법이 풀렸어!
헤헤헤, 돼지왕은 그냥 평범한 돼지였구나!

앗! 원래대로 돌아왔다.

마을 사람들은 괜찮을까?
나도 원래대로 돌아왔으니까 다들 마법이 풀렸을 거야.

역시 마법천자문 조각 때문에 크으으으~
요것 때문에 잘못하면 돼지가 될 뻔했네.

제 7 장 더 이상 마법천자문 조각을 탐내지 마!

돼지야!
괜찮니?
아니!
네놈은!

하여튼 돼지 따위는
아무 쓸모 없다니까.
척
어차피 일회용일
뿐이지만 말이야,
크흐흐흐.

탁
그건 우리
것이니 그만
돌려주실까?

으득
혼돈장군
이 자식!

꺄아악!
삼장!
난
괜찮으니까
천자문 조각을
잡아!
!!!
알았어!
크으으.

탁

나이스 캐치!
마왕님!
역시!
멋지시다니까!

저, 저
사람은?
혼세마왕!
으드득

으아아아아아아!
히이이이익!
자, 잠깐 기다려!
탁
철컥!
엥?
아뿔싸!
마왕님을 노렸구나!

더 이상은 절대
네 뜻대로 되지
않을 거야!
척
내가 막겠어!
크크크크크크크.
따라다니면서 방해라도
하겠다는 건가?
슉
그보다 나를
쓰러뜨리는 편이
낫지 않겠나?

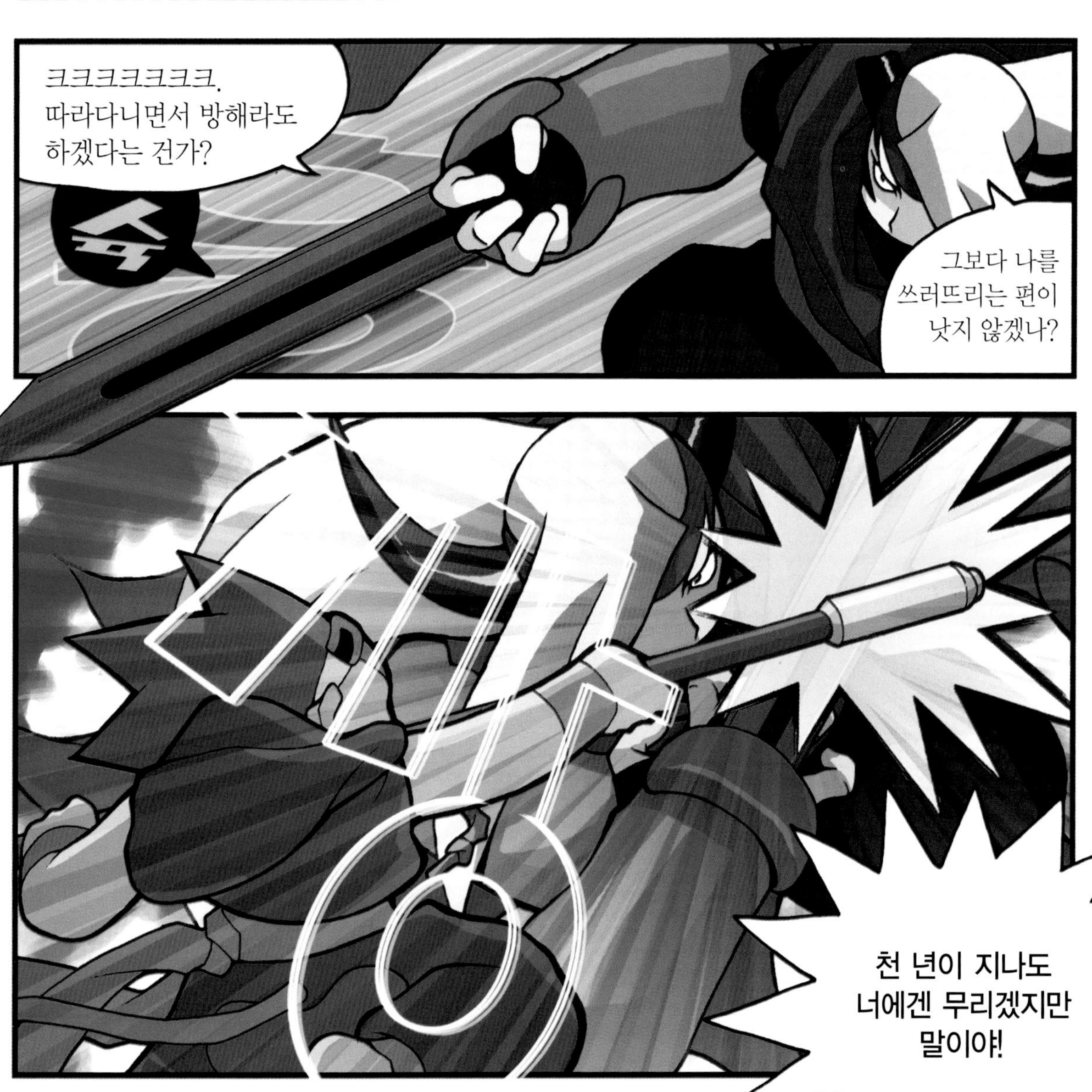
천 년이 지나도
너에겐 무리겠지만
말이야!

!!
찌직
내 칼이
깨지다니!
아니!
이럴 수가!

흥,
맛이 어떠냐!

너,
바보지?
엥?
크아악!

쳇, 아직은
안 되는 건가?
설마 진짜
여의필일 줄이야.
원숭이한테 어울리는
물건은 아니지만,
재미있군.

네녀석이 어떻게
그 보물을 손에
넣었는지 모르겠지만
조심해라, 아무나
감당할 수 있는 게 아니니까.
크크크크크크.

시끄러워!
잔말 말고
어서 싸우자!

혼돈,
돌아가자!
예!

보리선원

그래, 삼장은
쌀선원에
잘 데려다
주었느냐?

손오공, 지금부터
새로운 마법 두 개를
가르쳐 주마.
앞으로 요긴하게
쓰일 테니
잘 배워 두거라.
새로운
마법?
돼지왕 문제를
해결해서 주시는
상인가요?

그래, 허허. 첫 번째는
물건을 몸 속에 숨기는
마법이다.
삼백 년 된
이 산삼주를 잘 보아라.
들어가라!
들 입 入!

엑, 항아리를
통째로 삼켰네요!

삼킨 게 아니다.
음식을 먹는 것과는
많이 다르지.

자아, 그럼 이번엔
다시 꺼내야겠지?
出
튀어나와라!
날 출 出!

항…항아리가
손에서 튀어
나왔네요?
이것이 두 번째,
날 출 出 마법이다. 몸 속에
숨긴 걸 꺼내는 마법이지.

복습한자… 內 안 내 丨 冂 冂 內 外 바깥 외 ノ ク タ 夕 外

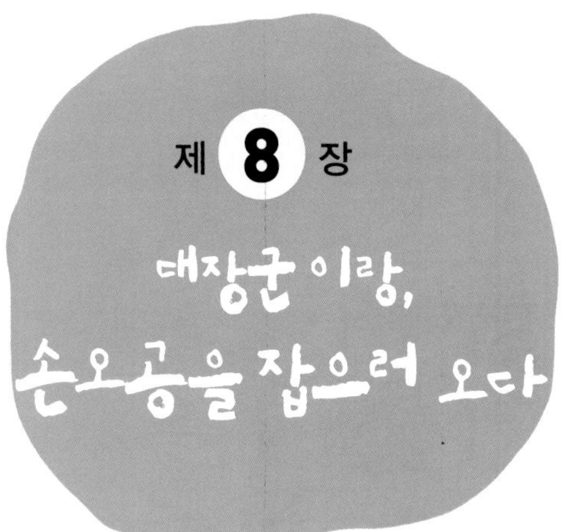
제 8 장
대장군이랑,
손오공을 잡으러 오다

도술섬

누구냐, 넌!
….

아, 미안, 미안.
내가 방해한 거야?
신경 쓰지 말고
하던 수련이나 계속
하렴. 보기 좋은데.

넌 도술섬
사람이
아니지?
어디서 왔는지
물어봐도 될까?

하늘나라에서
왔어.

뭐, 하늘나라?
하늘나라

이제 내 소개를
하는 게 예의겠지?
난 대장군
이랑이라고 해.
죄인 손오공을
잡으러 왔어.
잘 부탁해.

난데없이 나타나서
무슨 소릴 하나 했더니….
염라대왕님께서
보내신 걸까?

아냐, 아냐. 염라대왕님보다
더 높은 분이 보내셔서 왔어.

자아, 정겨운 대화는
이쯤에서 끝내고.
얌전히 따라와.
부탁해.

헤헤헤. 절대
그렇게는 안 되지.
그냥 가 줄래?

역시 그렇지?

말귀를 알아들을
정도였으면—
감히 여의필을
훔칠 생각도 안 했겠지!

자라나라!
나무 목 木!
아니?
나무 목 木 마법인데
나뭇잎이 없어!
어떻게 된 거지?

와우,
예리하네.
기대해.
깜짝 놀라게
해 줄 테니까.

果
주렁주렁 열려라!
열매 과 果!

어라, 순식간에 열매가 달렸다!
손오공, 조심해. 평범한 과일은 아닌 것 같아.
음, 그럼 이걸로 해 볼까나?
당첨

무슨 맛일까,
알아맞혀 보세요.

이 정도야
박치기
한 방으로!
!!!
슈우우우
뭐, 뭐야?
이건… 폭탄?

췟, 생각보다 약하잖아.
그렇다면 이것들은
어떠냐?
손오공!
피해!

으으으윽….

이런 이런,
아직 부족해.
으에엑!
안 돼!
저게 한꺼번에
터지면!
防
막아 줘!
막을 방 防!
뭐, 뭐지?
징
펑
펑
펑
펑
우와앗!
다 막아 낸다.
어떻게
된 거지?

뭐야, 넌! 못생긴 게!
끼어들지 마!

못생긴 게…?

너, 지금 말 다 했니? 크으으으.
그러는 넌 예쁜 줄 알아?

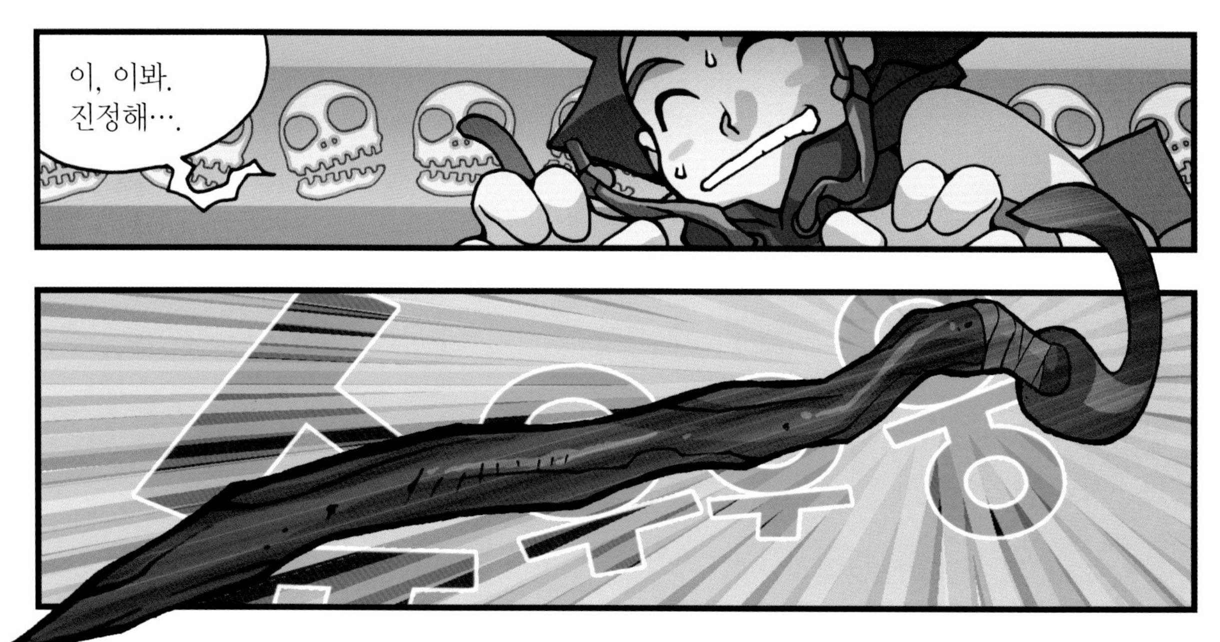
이, 이봐. 진정해….

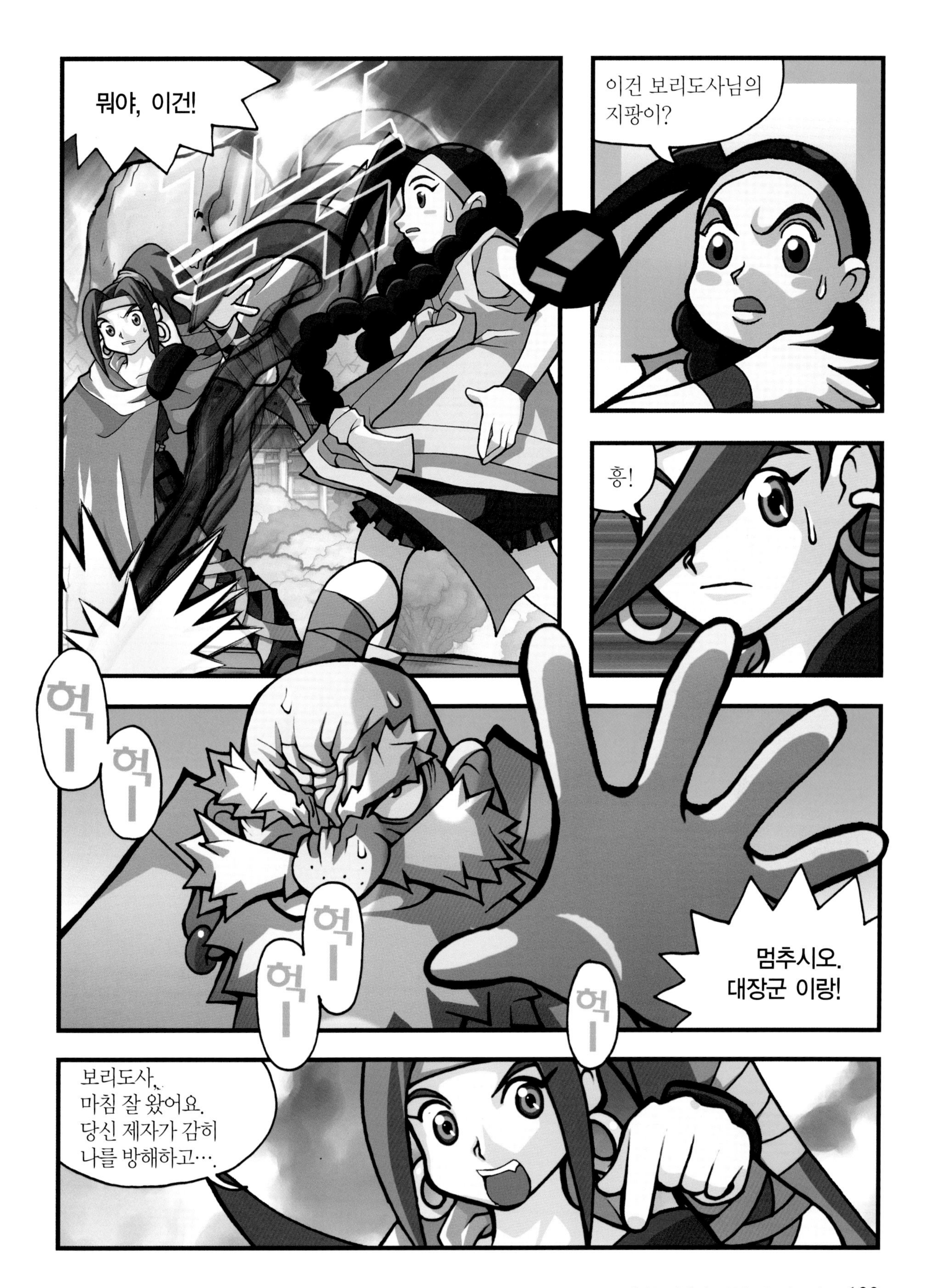
뭐야, 이건!
이건 보리도사님의
지팡이?
흥!
헉-
헉-
헉-
헉-
헉-
멈추시오.
대장군 이랑!
보리도사,
마침 잘 왔어요.
당신 제자가 감히
나를 방해하고….

!
무슨 짓을…!
조용히
돌아가시오.

내가 옥황상제님의 명을 받고 왔다는 걸 모르진 않을 텐데….
난 단지
손오공을 데려…

돌아가시오. 손오공
스스로 가게 할 터이니.

…정말인가요?
돌아가시오.

뭐, 어쩔 수 없네요.
보리도사님께서 그렇게까
지 말씀하시니.
탁
하지만 충고
하나 할까요?

부디 원숭이 한 마리를
싸고돌다 곤경에 빠지지
않길 바랍니다.
…옥황상제님께서
아신다면….

흠….

자, 그럼 모두들
만나서 반가웠어요.
이랑을 잊지
말아 주세요.
메롱!
모두 안녕!

제 9 장
옥황상제를
만나다
하늘나라
죄인 손오공, 제 발로 찾아 왔나이다.
나 참, 말끝마다 죄인이라네.

그 방법밖엔
없단다.
명심해라, 손오공.
가서 싹싹 비는 거다.
여의필도 돌려 주고.
네가 손오공인가?
고놈 참,
당돌하게 생겼구나.
내가 옥황상제이니라.
어흠, 가까이 오라.
스스로 여기까지
오다니 그 용기가
가상하도다.

허나,
제멋대로인 것은
용기가 아니다.
여어, 손오공
또 만났구나.

손오공 이놈,
감히 여의필을
훔쳐 갔겠다.
생사부를
뒤적이고 여의필을
훔친 죄는…

염라대왕, 용왕!
둘 다 가만히 있으라.
번쩍

죄, 죄송합니다.
용서받을 수
없는 잘못이니라.
염라대왕하고 용왕이
꼼짝을 못 하네. 히야!

허나 하늘의
마음 중 가장 큰 것은
자비로운 마음.
모든 것을 원래 상태로
돌려 놓는다면 네 벌을
가볍게 해 줄 수 있느니라.

무슨 소린지 하나도 모르겠네.
원 상태로
되돌린다는 게
여의필을 돌려
달라는 건가?
없던 일로 하는 것도
아니고 벌을 가볍게?

어떤가, 너의 죄를
인정하고 결정을
따르겠느냐?

저… 다른 건
잘 모르겠지만
여의필을 좀 더
빌렸으면 하는데요?

빌리다니!
크아아아
마음대로
가져가 놓고!
그건 아니죠.
처음부터 거짓말
같은 걸 안 했다면
저도 그런
식으로 가져가진
않았어요.
쯔용!!
감히 어느 안전이라고
목소리를 높이느냐!
어찌 됐든 여의필을
돌려 주면 끝날 일
아니냐?
안 돼요.
지금은 안 돼요.

苦 쓸 고

쓸 고 苦 마법에 걸리면
모든 음식과
물, 심지어
공기마저도 쓰게 느껴지지.
콜록
콜록
콜록
지금은… 여의필을
돌려 드릴 수 없어요….
콜록
콜록
참기 힘들 텐데.
괴롭지 않느냐?
괜한 고집 피우지 마라.
콜록
콜록
콜록
콜록
콜록
여의필이 없으면…
콜록
혼세마왕과
싸울 수가 없다고요!

그런 하찮고 사사로운 이유로 고집을 부리다니, 네놈이 하늘나라를 우습게 본 것이더냐?
지지직
지지직
내리쳐라! 번개 전 電!
쓸 고 苦 마법 때문에 숨을 못 쉬는 데다가 번개 전 電 마법 또한 네게 엄청난 고통을 줄 것이다.
크아아아악!
이래도 포기하지 않겠다는 게냐!

크으윽.
너무 괴로워!
콜록
켁
켁
콜록
어서 여의필을
포기해.
전에 내가 떨어뜨린
번개는 일부러 약하게
한 거였지만…
지금은 견디기
힘들 텐데….
이런, 보고 있는 내가
다 오금이 저리네…. 어휴.
옥황상제님은
나처럼 봐주지
않는다, 손오공.
크으… 윽… 더… 이상
숨을… 쉴수가….
콜록
켁
콜록
켁
콜록
콜록

마지막으로
묻겠노라.
죄인 손오공, 여의필을
반납하고 자신의 죄를
인정하겠느냐?

잘못했어…요.

용서…를….

하지만… 여의필은
못 줘…요.
지금은….
콜록
콜록
콜록
콜록
콜록
콜록
콜록
이것 참… 죄송해서…
어쩌죠?

난 여의필이
정말… 필요하다고요.
털썩

기절했다—
숨은 못 쉬고, 번개는
계속 떨어지고… 지금까지
버틴 게 놀랄 일이지.
독한 녀석…!
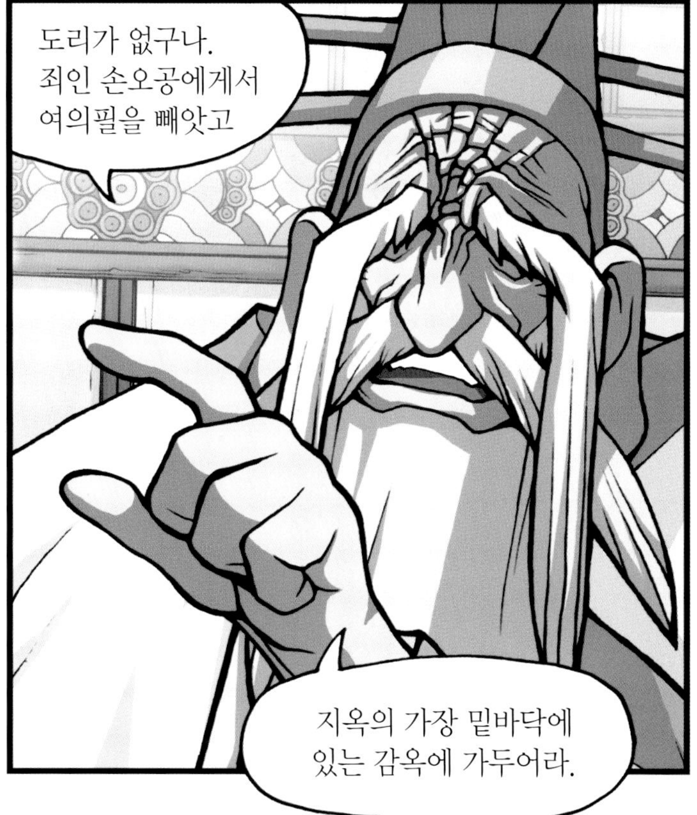
도리가 없구나.
죄인 손오공에게서
여의필을 빼앗고
지옥의 가장 밑바닥에
있는 감옥에 가두어라.

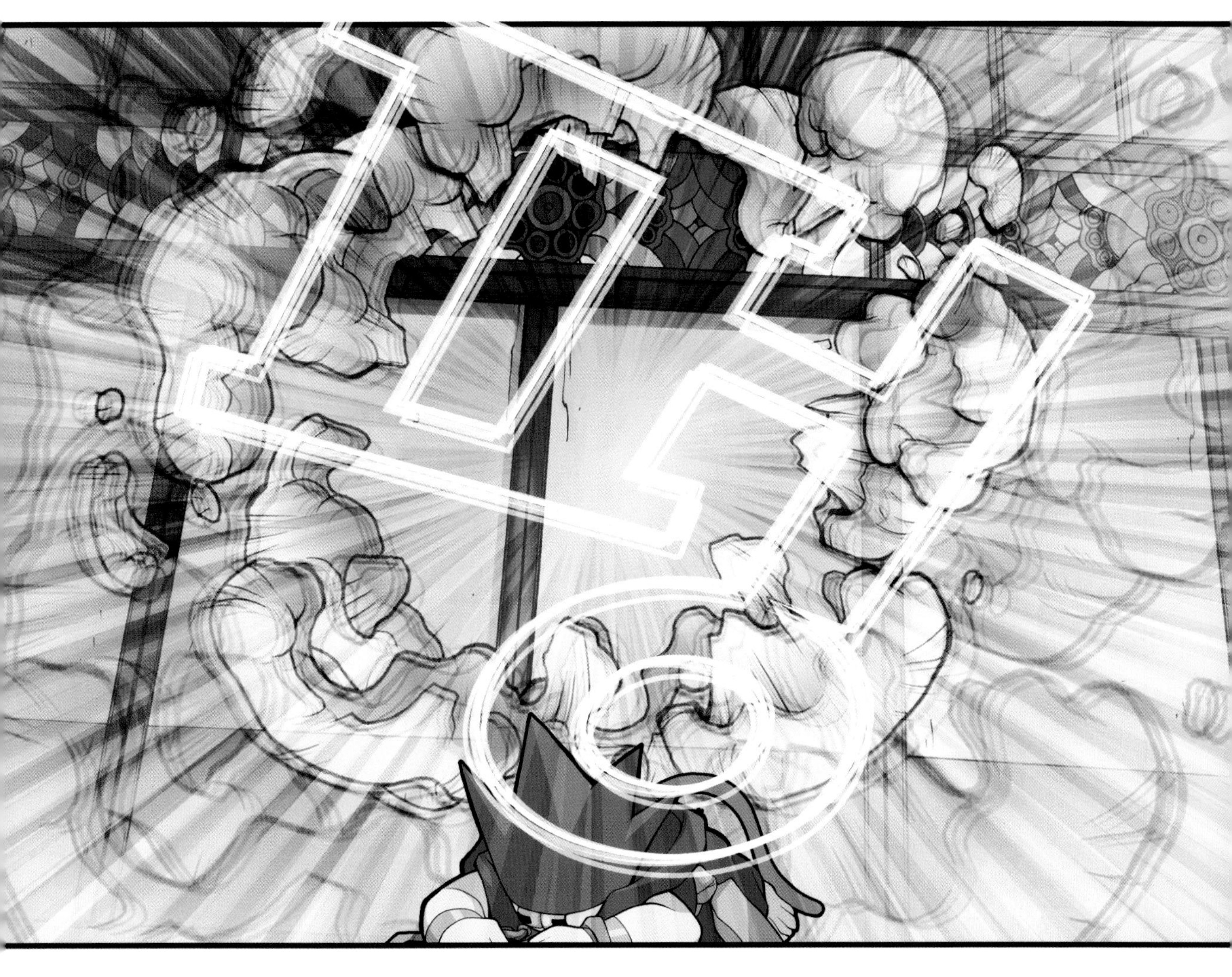

이게 뭐, 뭐지?
…설마!

아이고, 망했다!
그토록 우려하던 일이 결국!
삼천 년 동안 나를 이렇게 열렬히 원하는 이는 없었다.
으하하하하
이 정도라면 부름에 응하는 것이 도리지!

깨어났단 말인가?
완전히 잠든 줄 알았는데….
나를 원하는 게 원숭이라는 것이 맘에 좀 걸리지만.
아리따운 소녀면 좀 좋아?
봉인을 풀지도 않았는데, 어떻게 깨어난 거지?

어떻게 깨어날 수 있었냐고?
당신들은 나를 삼천 년 동안이나 바닷속에다 처박아 놨잖아!
이유 따위 대답하기 싫다. 메롱이다!
기, 기절시켜라! 다, 다시 봉인해야겠다!
나와라, 식인 조개! 조개 패 貝!
주인의 품으로 돌아오너라, 이 요물!
옥황상제님, 제가 잡아 올리지요.
貝
복습한자··· 貝 조개 패 | 冂 月 目 貝

으히히히히히.
주인이라고?
웃기고 있네!
쩌억
消
없어져라!
사라질 소 消!
흑흑흑. 내 초필살
대왕조개가 사라졌어….
으하하하하
좀 더 화끈하게 해 봐,
이 몸이 삼천 년 만에
깨어났는데.

消 사라질 소

제 10 장

여의필의 위력

어이, 이봐!
지금 멍청하게 잘 때냐?
일어나!
쿡쿡

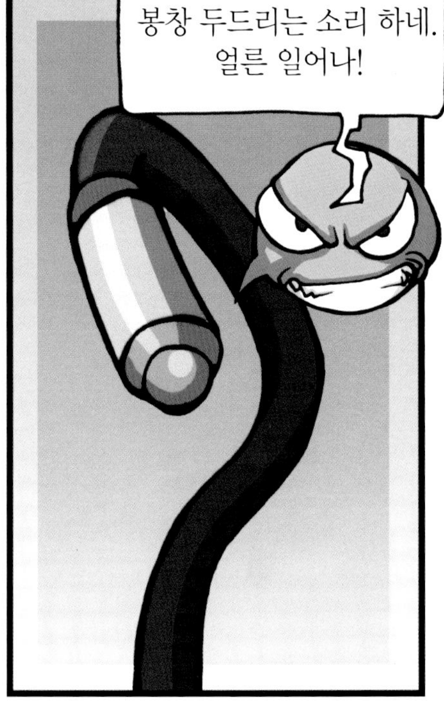

얘가 자다가 귀신
봉창 두드리는 소리 하네.
얼른 일어나!

어라라? 내가
언제 기절한 거지?

헉!
뭐야, 이건?
이 몸의 주인이라면
좀 더 의젓한 모습을
보이라고! 제발~
지, 지렁이가 말을 하네….
뭐, 지렁이?
용도 아니고?
퍽
퍽
건방지게!
맞아라, 맞아!
번쩍
너, 지금
날 때렸어?

그래, 때렸다!
어쩔래, 어쩔래?
퍽
퍽
요놈, 잡았다!
콱
켁!
죄송해요.
어라, 갑자기
힘이 빠지네.
그래, 이거야 이거!
이 정도는
돼야지!
으음… 좋아, 좋아!
저기 세 명보다 훨씬 낫군.

저기 세 명?

그래, 저기 세 명
할아버지 삼총사.
너!

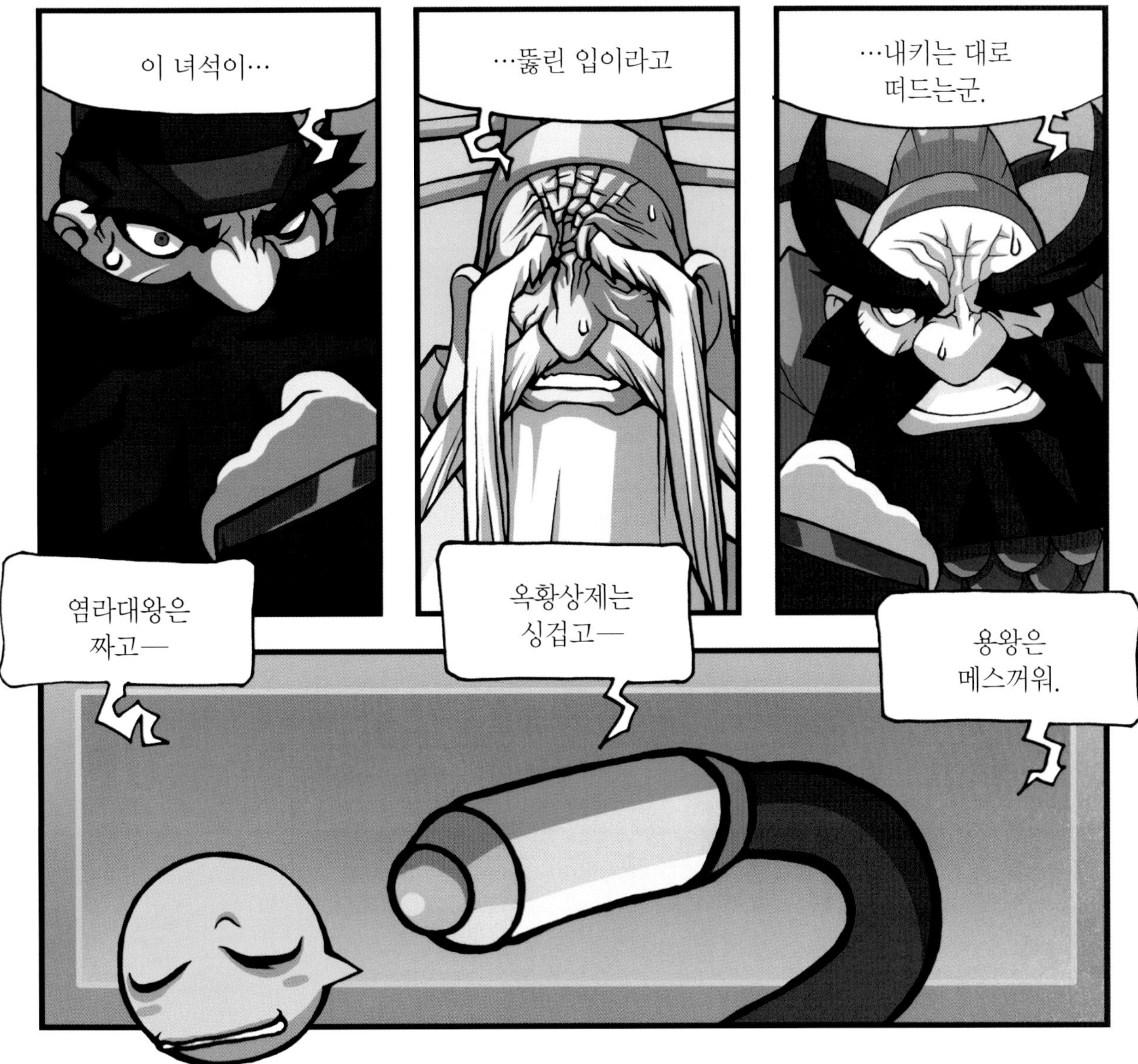
이 녀석이…
…뚫린 입이라고
…내키는 대로
떠드는군.
염라대왕은
짜고—
옥황상제는
싱겁고—
용왕은
메스꺼워.

어서 잡아라!
당장 잡아서 나불대는
저 주둥이를 막아라!
하하하! 미안하지만
저한테는
입 같은 것이 없사와요.
안 되겠다, 손오공.
상황이 더
심각해지기 전에—
여의필을
내놓아라.

안 돼요.
여의필이 있어야—

…여의필?
이게 여의필?
너 아직까지도
내가 누군지
모르고 있었냐?
그냥 농담하는 거지?

하, 하지만 여의필은
요렇게 일자로
생겼는데?
그 정도
쯤이야.
빳빳
하지만 이건
흐물흐물…하잖아.
넌 유연하다는
말도 모르냐?
어서
여의필을
내놓아라!
자, 손오공!
수업 시작이다! 잡아!
수, 수업?
무슨 수업?
척!

자, 간다!
꽉 잡아! 얏호!
우아앗!
고드름이 꽁꽁!
얼음 빙 氷!
氷
왓!
얼음 송곳!

이 정도로는
어림없다!
여의필,
잡히기만
해 봐라!

지, 지금 그런 말
할 때가 아니잖아!
얼음 빙 氷 마법!
거대하고 날카로운 고드름을
만들어 날리는 공격마법이다.
물 수 水 자에 점 하나만 찍으면 돼!
알겠냐?

앗, 염라대왕!
재빠른 건 여전하군!
앗, 잡히겠다.
여의필!
호들갑 떨지 말고
잘 생각해 봐,
쓸 만한 마법 없냐?
갑자기 생각이
날 리가 없잖아….
맞다!
그래!
생각났어!

後 뒤 후 ノ ㇇ 彳 彳 彳 㣔 後 後 後

허락?
내가 허락하지!
날 빌려 가도 좋아!
빛나라!
빛 광 光!
눈 감아,
손오공!
뭐?
光
아차!

크으, 당했다!
빛 광 光 마법을
쓸 줄이야!

자, 손오공!
문 문 門 마법이다!
빨리!
으으… 어디야, 어디?
앞이 안 보여.
눈이 부셔서.
너,
눈 뜨고 있었냐?
한심하긴….
더듬
더듬
놓치겠다.
어서 잡아!
도술섬으로!
문 문 門!
門
들어가!
우앗
복습한자… 門 문 문

앗, 여기는….
벌떡
도술섬
결국은 허락을 못 받았군. 그런데
일이 더 커진 것 같아. 이를 어쩌지?
으하하하하하! 속이 다 시원하다.
아

지금쯤 하늘나라는 난리가 났겠지? 아냐, 아냐!
더 난장판을 치고 왔어야 되는 건데…. 아깝군!
이 녀석을 잊고 있었네.
실은 문제가 좀 생겼어….
삼천 년 만이라 흥분해서 너무 무리했나 봐. 몸이 움직이지를 않아.
일이 더 꼬였는데, 웃음이 나오냐?
우헤헤헤. 어쩐지 너무 설쳐 대더라니, 쌤통이다!
손오공! 이런 배은망덕한! 누구 덕분에 살아 돌아왔는데!
환상 콤비 손오공과 여의필의 좌충우돌 모험을 기대하시라.
4권에서 계속

마법의 한자를 잡아라!

앞 **전**

✚ **한자능력검정시험** 7급 ✚ **刀부의 7획** 총 9획

발, 걷다〔止〕와 배〔舟〕의 합성자로 '배를 타고 나아가다', '앞'을 의미함.

전진(前進) 앞으로 나아감. 반대말은 후퇴.
전방(前方) 앞쪽. 전쟁터나 운동 경기에서 상대와 마주하고 있는 위치.

뒤 **후**

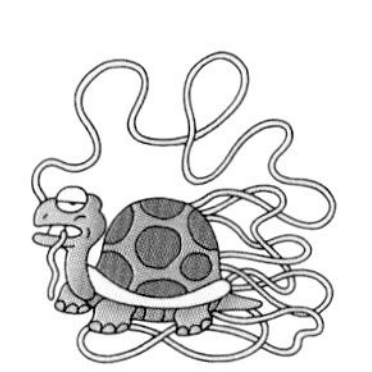

✚ **한자능력검정시험** 7급 ✚ **彳부의 6획** 총 9획

길을 가다〔彳〕와 실〔幺〕, 발자국〔夂〕의 합성자로 '길을 가는데 실이 얽혀 뒤쳐지다', '뒤'를 의미함.

후퇴(後退) 전쟁 등에서 뒤로 물러남.
후회(後悔) 이전의 행동이나 말에 실수나 잘못이 있음을 깨닫고 뉘우침.

後 後 後 後

위 **상**

✚ **한자능력검정시험** 7급 ✚ **一부의 2획** 총 3획

땅의 윗부분을 표시하여 '위'를 의미함.

지상(地上) 땅 위. 하늘나라나 저승이 아닌, 이 세상.
상승(上昇) 위로 올라감. 반대말은 하강.

上 上 上 上

下

아래 **하**

✚ **한자능력검정시험** 7급 ✚ **一부의 2획** 총 3획

땅의 아랫부분을 표시하여 '아래'를 의미함.

천하(天下) 온 세상. 매우 드물거나 뛰어나서 세상에 비길 데가 없음.
하강(下降) 아래로 내려감. 반대말은 상승.

下 下 下 下

✚ 한자능력검정시험 7급 ✚ 工부의 2획 총 5획

왼손〔𠂇〕을 뜻하는 글자에 도구〔工〕의 의미가 더해져 일을 할 때 오른손을 도와주는 손, '왼손'을 의미함.

좌우(左右) 왼쪽과 오른쪽.
좌측통행(左側通行) 사람은 길의 왼쪽으로 다니게 되어 있는 규칙.

✚ 한자능력검정시험 7급 ✚ 口부의 2획 총 5획

오른손을 편 모습을 본뜬 글자에 입〔口〕의 의미가 더해져 식사할 때 먹는 손인 '오른손'을 의미함.

우회전(右回轉) 오른쪽으로 돎.
좌우명(座右銘) 살아가면서 가르침으로 삼기 위해 늘 마음에 새겨 두는 짤막한 말.

✚ 한자능력검정시험 6급 ✚ 田부의 4획 총 9획

밭〔田〕과 밭 사이에 끼인〔介〕 '경계'를 의미함.

각계(各界) 사회의 여러 분야.
세계(世界) 지구 위의 모든 지역 또는 인류 사회 전체.

眼
눈 안

✚ 한자능력검정시험 4급 ✚ 目부의 6획 총 11획

뿌리를 뜻하는 艮(간→안)과 눈을 뜻하는 目이 합하여 이루어진 글자.

안경(眼鏡) 잘 보이지 않을 때 눈에 쓰는 물건.
안과(眼科) 눈병을 치료하는 병원.

마법의 한자를 잡아라!

수풀 **림**

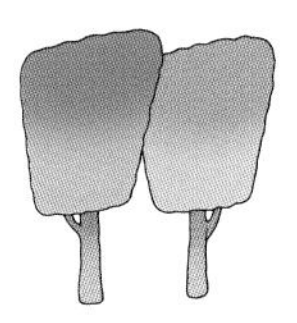

✚ 한자능력검정시험 7급 ✚ 木부의 4획 총 8획

나무(木)를 둘로 겹쳐 '나무가 많음', '수풀'을 의미함.

산림(山林) 산에 있는 숲.
임업(林業) 숲을 운영하는 사업.

林 林 林 林

빽빽할 **삼**

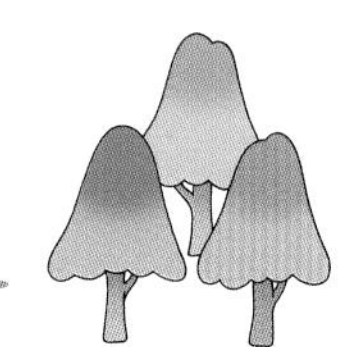

✚ 한자능력검정시험 3급 ✚ 木부의 8획 총 12획

나무(木)를 셋으로 겹쳐 '나무가 아주 많음', '숲'을 의미함.

삼림(森林) 나무가 많이 우거진 숲.
삼라만상(森羅萬象) 우주 속의 온갖 사물과 현상.

森 森 森 森

형상 **형**

✚ 한자능력검정시험 6급 ✚ 彡부의 4획 총 7획

무늬, 빛깔을 뜻하는 글자(彡)와 같은 높이의 두 개의 물건(开)을 합하여 '생김새가 뚜렷이 보임', '모양'을 의미함.

형태(形態) 물건의 생긴 모양.
삼각형(三角形) 세 개의 직선으로 둘러싸인 도형.

形 形 形 形

豚

돼지 **돈**

✚ 한자능력검정시험 3급 ✚ 豕부의 4획 총 11획

고기(月)와 돼지(豕)의 합성자로, 먹을 수 있는 돼지를 의미함.

양돈(養豚) 돼지를 먹여 기르는 일.
돈육(豚肉) 돼지고기.

豚 豚 豚 豚

들 **입**

+ 한자능력검정시험 7급 + 入부의 0획 총 2획

들어가는 굴 입구의 모양을 본뜬 글자.

출입(出入) 드나듦.
입구(入口) 들어가는 문. 들어갈 수 있도록 문을 낸 곳.

入 入 入 入

날 **출**

+ 한자능력검정시험 7급 + 凵부의 3획 총 5획

식물의 싹이 땅 위로 돋아나는 모양을 본뜬 글자.

구출(救出) 사람을 위험한 상태에서 구해 냄.
외출(外出) 볼일을 보러 나감. 나들이.

出 出 出 出

열매 **과**

+ 한자능력검정시험 6급 + 木부의 4획 총 8획

나무(木) 위에 열매가 열린 모양을 본뜬 글자.

결과(結果) 어떤 목적을 가지고 일을 하여 그 끝에 얻어지는 상태.
과수원(果樹園) 과실나무를 많이 심어 가꾸는 곳.

果 果 果 果

막을 **방**

+ 한자능력검정시험 4급 + 阜(⻖)부의 4획 총 7획

언덕(⻖)과 사방(方)의 합성자로, '언덕을 쌓아 사방을 막음'을 의미함.

국방(國防) 외부의 침입으로부터 나라를 지킴.
예방(豫防) 병이나 사고 등이 일어나지 않게 미리 막음.

防 防 防 防

마법의 한자를 잡아라!

쓸 **고**

✚ 한자능력검정시험 6급 ✚ 艸(艹)부의 5획 총 9획

풀(艸)과 오래됨(古)의 합성자로, '쓰다', '괴롭다'를 의미함.

고난(苦難) 살아가면서 겪는 견디기 힘든 괴로움.
고통(苦痛) 몸이나 마음이 아프고 괴로움.

苦 苦 苦 苦

消

사라질 **소**

✚ 한자능력검정시험 6급 ✚ 水(氵)부의 7획 총 10획

물(氵)과 흩어지다(肖)의 합성자로, '물이 적어지다', '사라지다'를 의미함.

소식(消息) 어떤 사람의 안부나 형편을 알리는 말이나 글.
소방서(消防署) 불이 났을 때 끄는 일을 하는 기관.

얼음 **빙**

✚ 한자능력검정시험 5급 ✚ 水부의 1획 총 5획

원래 글자는 '冫水'이며 두 개의 얼음 덩어리(冫)와 물(水)의 합성자로, '얼음'을 의미함.

빙하(氷河) 흘러 다니는 거대한 얼음 덩어리.
빙과(氷菓) 설탕 물에 과실즙이나 우유, 향료 등을 섞어 얼려서 만든 것.

氷 氷 氷 氷

빛 **광**

✚ 한자능력검정시험 6급 ✚ 儿부의 4획 총 6획

불(火)과 사람(人)의 합성자로, '사람의 머리 위에서 빛나는 불', '빛'을 의미함.

관광(觀光) 다른 지방이나 나라에 가서 경치나 문화 유적을 구경함.
광채(光彩) 물체에서 나오는 찬란한 빛.

光 光 光 光

다시 알아보는 마법의 한자

	뜻	소리	급수	첫 등장
角	뿔	각	6급	2권
內	안	내	7급	2권
力	힘	력	7급	1권
木	나무	목	8급	1권
目	눈	목	6급	1권
門	문	문	8급	1권
小	작을	소	8급	1권

	뜻	소리	급수	첫 등장
外	바깥	외	8급	2권
長	길	장	8급	2권
電	번개	전	7급	2권
足	발	족	7급	2권
重	무거울	중	7급	2권
貝	조개	패	3급	2권

달라진 부분을 찾아라!

삼장이 오른손을 번쩍 들고 있네요. 벌 받는 것은 아니고, 화과산의 원숭이들을 보호해 주려고 '경계 계 界' 마법으로 마법 울타리를 만들어 주는 거예요. 두 장의 그림 중에 다른 부분이 7군데나 있어요. 모두 찾아야 마법 울타리가 완성됩니다. 우리 친구들, 눈을 크게 뜨고 찾아보세요. 또 말풍선 대사 부부은 제외랍니다!

소풍 간 손오공이 친구들의 도시락을 다 먹어 치우고 있어요. '돼지 돈 豚' 마법에 걸렸다고 하네요. 다른 친구들이 점심을 굶지 않기 위해서는 마법을 풀어 줘야 해요. 자, 다른 부분 7군데를 찾아서 마법을 풀어 주세요. 단, 말풍선 안쪽의 글은 세지 마세요.

※ 정답은 마법천자문 홈페이지 magichanja.book21.com에서 확인하세요.

내가 만드는 마법천자문

원수는 외나무다리에서! 드디어 오공과 혼세마왕이 만났어요. 그런데 왠지 분위기가 심상치 않죠? 자, 과연 둘은 무슨 말을 하고 있을까요? 여러분이 혼세마왕과 손오공이 되어 직접 이야기를 채워 보세요.

마법의 한자를 낚아라!

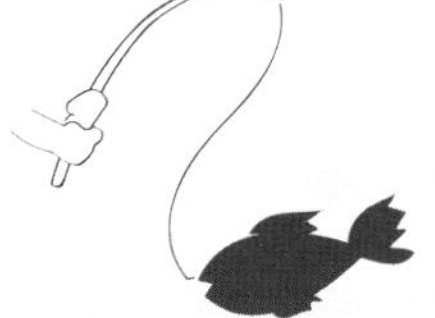
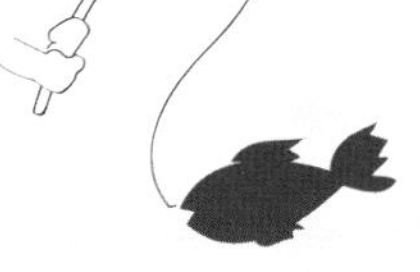

1. 上 자가 쓰인 낱말 두 개를 낚아 보세요.

Hint ✚ 上 은 땅의 윗부분을 표시하는 한자입니다.

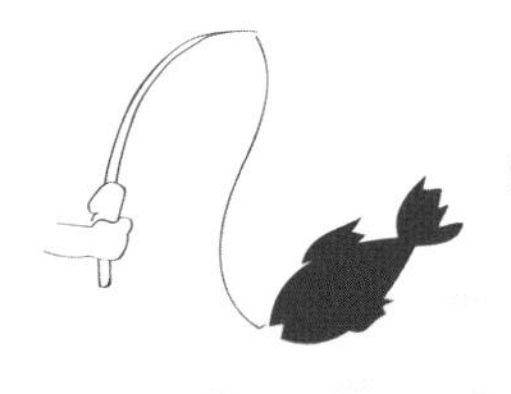

2. 入 자가 쓰인 낱말 두 개를 낚아 보세요.

Hint ✚ 入 은 '들어간다' 는 뜻이에요.

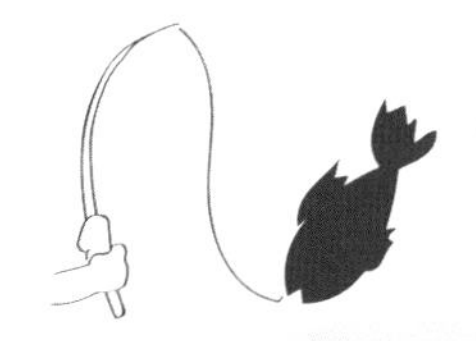

3. 眼 자가 쓰인 낱말 두 개를 낚아 보세요.

안과

Hint ✚ 眼과 目은 모두 사람의 눈을 나타냅니다.

※ 정답은 마법천자문 홈페이지 magichanja.book21.com에서 확인하세요.

마법의 한자 퀴즈를 풀자!

※ 정답은 마법천자문 홈페이지 magichanja.book21.com에서 확인하세요.

초급 수련원

우선은 **쉬운 문제**부터 해결해 보자!

1. 상대방의 코앞으로 순간 이동할 수 있는 한자마법인데, 염라대왕이 손오공의 앞으로 가기 위해 썼습니다. 이 한자마법은 무엇일까요?

❶ 後 ❷ 前 ❸ 上 ❹ 下

2. 위에 있던 물체를 아래로 내릴 때 쓰는 한자마법입니다. 이 한자마법은 무엇일까요?

❶ 下 ❷ 左 ❸ 上 ❹ 右

Hint + '위 상 上' 한자마법과 반대의 힘을 가지는 한자마법이지요.

3. '눈 목 目' 한자마법처럼 무언가를 볼 수 있게 하는 마법입니다. 하지만, 아주 멀리까지 볼 수 있게 해 줍니다. 삼장이 도술섬을 보기 위해 썼죠. 이 한자마법은 무엇일까요?

❶ 眼 ❷ 界 ❸ 光 ❹ 消

중급 수련원

이번엔 **좀 더 어려운 문제**로 수련해 보자.

4. '나무 목 木' 두 자를 옆에 나란히 붙여 쓰면 (　　) 한자마법을 부릴 수 있습니다. 옥동자가 손오공에게 한자마법을 가르치려고 사용했던 이 한자마법은 무엇일까요?

❶ 木 ❷ 森 ❸ 林 ❹ 果

Hint + 한자가 놓인 모양을 잘 생각해 보세요.

5. 한자마법을 쓸 때에는 다음의 세 가지가 가장 중요합니다. 정확한 (　　), 정확한 (　　), 정확한 (　　)! 이 세 가지만 신경 쓰면, 한자도사가 될 수 있습니다.

Hint + 한자의 3요소가 무엇인지 생각해 보세요.

먹는 즐거움을 느끼도록 돼지왕이 이 한자마법을 맥주병과 손오공에게 걸었죠. '꿀꿀 돼지로 변해라!' 라는 주문을 사용하는 이 한자마법은 무엇일까요?

❶ 果 ❷ 苦 ❸ 氷 ❹ 豚

Hint ✚ 돈육에도 이 한자가 들어가지요.

몸 안에 숨겼던 어떤 물체를 바깥으로 내보낼 수 있는 한자마법입니다. 몸 안으로 들어오게 할 때에는 '들 입 入' 한자마법을, 몸 밖으로 나가게 할 때에는 이 한자마법을 씁니다. 무엇일까요?

❶ 下 ❷ 內 ❸ 出 ❹ 外

고급 수련원 이번 관문을 통과하면 **한자마법 고수**로 인정하노라!

손오공은 방향 한자마법을 염라대왕님께 배웠죠. 빈칸에 알맞은 방향 한자를 써 보세요.

magichanja.com

웹진 OPEN!

마법천자문의 콘텐츠를 마음껏 즐기자!

이야기 & 캐릭터

읽을거리, 볼거리가 한가득!

- 비하인드 스토리
- 명장면
- 제작과정
- 북트레일러

온라인 상영관

영상으로 즐기는 마법천자문!

- TV 애니메이션
- 영어로 읽는 마법천자문
- 획순 영상

무료 콘텐츠

다양한 콘텐츠가 매일 업데이트!

- 학습 만화 연재
  수학원정대, 사회원정대 등
- 무료 다운로드 콘텐츠
  색칠하기북, 한자놀이북, 한자연습장 등

신 나는 이벤트

웹진을 주변에 소문내 주세요. 추첨을 통해 총 50분에게 선물을 드려요.

● 기간
2014년 11월 21일 ~ 2015년 1월 31일

● 발표
2015년 3월 2일

● 참여방법
웹진(magichanja.com)
오픈 이벤트를 참고하세요.

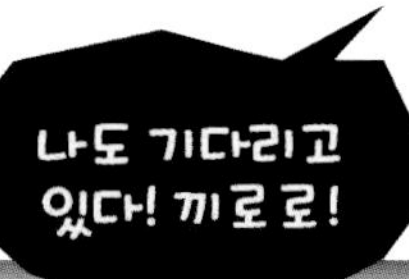

EDUTAINMENT TRADING CARD GAME
앱을 설치하고 카드를 비추면
캐릭터가 살아나요!!
손오공
마법천자문 천자탄 2탄
급수 한자 마스터 세트 8급
절찬 판매중
마법천자문
천자탄
글수한자마스터세트 8급
※앱 설치 및 기타 자세한 사항은 홈페이지(www.ma1000.com)을 참조하세요
XOsoft T:070-7500-8668

손오공의 한자 대탐험

마법천자문

3 비춰라! 빛 광

글 · 그림 | 스튜디오 시리얼
감수 | 김창환

1판 1쇄 인쇄 | 2004년 1월 25일
1판 210쇄 발행 | 2014년 12월 30일

펴낸이 | 김영곤
이사 | 이유남
본부장 | 은지영
기획개발 | 이정은 장영옥
마케팅 | 장명우 탁수진 문숙영 임동렬 이희영
라이선스 | 송효진
아동영업 | 변유경 유선화
북디자인 | 양설희 design86 이기쁨

펴낸곳 | (주)북이십일 아울북
등록번호 | 제10-1965호
등록일자 | 2000년 5월 6일
주소 | 경기도 파주시 회동길 201(문발동) (413-120)
전화 | 031-955-2119(기획개발), 031-955-2100(마케팅 · 영업 · 독자문의)
브랜드 사업 문의 | 031-955-2189 hjsong@book21.co.kr
팩시밀리 | 031-955-2421
홈페이지 | magichanja.book21.com
웹진 | magichanja.com

ISBN 978-89-509-3602-0
ISBN 978-89-509-3620-4(세트)

* 잘못된 책은 구입하신 서점에서 교환해 드립니다.
* 가격은 책 뒤표지에 있습니다.